JAN TERLOUW

OORLOGSWINTER

Vierenzeventigste druk, 2016

Vormgeving: Marc Suvaal, Lemniscaat
Nederlandse rechten Lemniscaat b.v.,
Vijverlaan 48, 3062 HL Rotterdam, 2016

ISBN 978 90 824 7650 7
NUR 283

Druk en bindwerk: Wilco, Amersfoort

Dit boek is gedrukt op milieuvriendelijk, chloorvrij gebleekt en verouderingsbestendig papier en geproduceerd in de Benelux, waardoor onnodig milieuverontreinigend transport is vermeden.

1

Wat was het toch allemachtig donker.

Voetje voor voetje, met één hand tastend voor zich uit, zocht Michiel zijn weg over het verharde fietspad, dat naast het karrenpad liep. In zijn andere hand droeg hij een katoenen tas, met twee flessen melk erin. 'Nieuwe maan én zwaar bewolkt,' mompelde hij. 'Hier moet de boerderij van Van Ommen zijn.' Hij tuurde naar rechts, maar hoe hij zich ook inspande, hij zag niets. De volgende keer gá ik niet meer als ik de knijpkat niet mee krijg, dacht hij. Dan zorgt Erica maar, dat ze om half acht thuis is. 't Is geen doen zo.

De gebeurtenissen gaven hem gelijk. Hoewel hij niet sneller liep dan een halve kilometer per uur, stootte hij met de tas tegen een van de paaltjes die hier en daar stonden, zodat de boerenwagens niet over het fietspad konden rijden. Verdorie! Voorzichtig voelde hij met zijn hand. Nat! Een van de flessen was gebroken. Wat zonde van die kostelijke melk. Danig uit zijn humeur, maar nog behoedzamer dan eerst, ging hij verder. Mensenlief, wat zie je weinig als het zo donker is. Vijfhonderd meter van huis was hij en hij kende bij wijze van spreken iedere steen. En toch zou hij de grootste moeite hebben om voor achten binnen te zijn.

Wacht eens even, daar zag hij een uiterst flauw lichtschijnsel. Juist, het huis van Bogaard. Die namen het niet zo nauw met de verduistering. Jammer genoeg hadden ze niet veel meer om te verduisteren dan het licht van een kaars. Enfin, er waren nu geen paaltjes meer tot de straatweg, wist hij, en als hij eenmaal daar was, ging het gemakkelijker. Daar waren meer huizen en op de een of andere manier kwam er toch meestal wel wat licht uit. Jasses, er droop melk in zijn klomp. Liep daar iemand? Onwaarschijnlijk, 't was op slag van achten. En om acht uur mocht er niemand meer op straat zijn.

Hij voelde dat hij ander wegdek onder zijn voeten kreeg. De straatweg. Nu rechtsaf en oppassen dat hij niet in de sloot terechtkwam. Zoals hij al gedacht had, ging het nu beter. Heel, heel vaag zag hij de omtrekken van de huizen. De Ruiter, juffrouw Doeven, Zomer, de smederij, het gebouwtje van het Groene Kruis, hij was er bijna.

Ineens flitste vlak voor zijn neus een felle elektrische zaklamp aan en scheen recht in zijn ogen. Hij schrok zich lam.

'Es ist over achten,' zei een stem in gebroken Nederlands. 'Iek neem je gefangen. Was draagt du da in je hand? Handgranaten?'

'Doe die rotlamp uit, Dirk,' zei Michiel. 'En je hoeft me niet zo te laten schrikken.'

Ondanks de verdraaiing had hij de stem herkend van de zoon van hun buurman. Dirk Knopper hield op zijn manier van een geintje. Hij was eenentwintig jaar en voor de duivel nog niet bang.

'Door een beetje schrik word je gehard,' zei hij. 'Trouwens, 't is inderdaad na achten. De eerste de beste Duitser kan je doodschieten als een gevaar voor het Grote Duitse Rijk, heil Hitler.'

'Sst! Schreeuw die naam niet zo over straat.'

'Ach wat,' zei Dirk luchtig, 'onze bezetters horen hem graag.'

Ze liepen samen op. Dirk hield zijn hand voor de lantaarn, zodat er maar een klein straaltje licht doorkwam. Maar voor Michiel leek het helder dag. Hij zag nu de kant van de weg en dat was een ongekende weelde.

'Hoe kom jij eigenlijk aan een elektrische lamp en vooral: hoe kom je aan de batterij?'

'Gejat van de moffen.'

'Ga weg,' zei Michiel ongelovig.

'Serieus. We hebben twee officieren bij ons ingekwartierd, dat weet je toch? Van de week had er een, die dikke, weet je wel, een kartonnen doos met wel tien van dit soort lampen op zijn kamer staan. Nou ja, *zijn* kamer, *onze* kamer bedoel ik. Toen heb ik er een achterovergedrukt.'

‘Ga je dan in hun kamer?’

‘Ja, wiedes. Iedere dag ga ik even poolshoogte nemen, als ze weg zijn. Geen centje pijn. De enige voor wie ik moet oppassen is mijn vader. Die is zo bang als een wezel. Als hij wist dat ik deze lamp had, deed hij vannacht geen oog dicht. Nou ja, dat doet hij toch al niet vanwege Rinus de Raat. Ajuus hoor, kun je ’t zien?’

‘Ja, ik vind het wel. De groeten!’

Met zijn klompen knerpend over het grint liep Michiel de voortuin door. Hij was blij dat Dirk niet had gezien dat er een fles was gebroken. Hij zou er zeker het nodige commentaar op hebben gekregen.

Binnen was de carbidlamp nog in de kracht van zijn leven. Dat was altijd zo aan het begin van de avond, als vader hem nog maar kort geleden had gevuld. Dat vullen was een vervelend werkje, want carbid stinkt vreselijk. Maar als het ijzeren potje eenmaal gesloten was en de vlam aan de spitse tuit aangestoken, rook je het niet meer. Dan gaf hij licht dat niet eens zoveel slechter was dan dat van een kleine elektrische lamp. Helaas, na een paar uur werd het licht zwakker en na half tien was er nog maar een klein blauw vlammetje over, net genoeg om niet over de meubels te vallen.

Michiel wilde ’s avonds ontzettend graag lezen. De hele dag was er volop licht, maar dan had hij geen tijd. ’s Avonds hád hij tijd en dan was er geen licht. Hij had achttien vergeelde boeken van Jules Verne in zijn vaders boekenkast ontdekt en die moesten met alle geweld gelezen worden. In het begin van de avond ging het nog wel op een paar meter afstand van de lamp, maar later kon je de letters alleen onderscheiden als je het boek vlak bij het blauwe vlammetje hield. En dat kon hij de anderen niet aandoen, zeker niet als er gasten waren. En die waren er bijna altijd.

Ook nu zat de kamer vol. Behalve vader, moeder, Erica en Jochem onderscheidde Michiel ten minste tien mensen. Geen van hen kende hij, zo op het eerste gezicht, behalve oom Ben. Moeder leidde hem de kring rond. Er waren een meneer en mevrouw Van der Heiden, bij wie hij vroeger nog op schoot had gezeten, naar ze zeiden. Ze kwamen uit Vlaardingen, dus het kón, want in Vlaardingen was hij geboren. Dan was er een heel oude dame met rimpeltjes, die zei dat ze zijn tante Gerdien was en die waarachtig een kus wilde hebben. Hij wist niet dat hij een tante Gerdien rijk was. Moeder legde uit dat ze een achterachternicht van vader was en dat vader het goeie mens twintig jaar geleden voor het laatst had gezien. Dat 'goeie mens' zei ze natuurlijk een beetje anders. Er waren twee onduidelijke dames die riepen, dat hij zo groot was geworden, er was een zelfverzekerd meneertje, die het bestond om 'broer' tegen hem te zeggen, ondanks zijn bijna zestien jaar, en zo nog een paar. Op het 'broer-meneertje' na schenen ze allemaal precies te weten wie hij was.

'Ze hebben hun huiswerk goed gedaan,' mompelde Michiel. Deze mensen kwamen allemaal uit het westen van het land. Door de honger werden ze naar het oosten en noorden gedreven. Want het was het begin van de winter 1944-'45 en dus oorlog. Er was in de grote steden bijna niets meer te eten. Vervoer was er ook niet, dus liepen ze. Soms tientallen, vaak honderden kilometers. Met karretjes, kinderwagens, fietsen zonder banden, met de gekste toestellen trokken ze over de wegen. En om acht uur moest de straat leeg zijn. Wat was het dan belangrijk om kennissen te hebben die ergens langs de route woonden. Michiels ouders hadden er geen idee van gehad dat ze zoveel mensen kenden, of liever, dat zoveel mensen hén kenden.

Avond aan avond, om een uur of zeven, werd er vele malen gebeld. Dan stond er bijvoorbeeld een onbekend persoon op de stoep die stralend riep: 'Hallo zeg, hoe is het met jullie. Herken je me niet? Miep, uit Den Haag. Ik heb zó dikwijls aan jullie gedacht.' Je zou erom lachen als het niet zo doodzielig was. Want Miep bleek dan een dame te zijn die vader en moeder één keer als mevrouw

Van Druten hadden ontmoet bij een wederzijdse kennis. Maar als je dan zag dat Miep ondervoed was, dat ze aan het eind van haar krachten was, dat ze helemaal uit Den Haag was komen lopen op versleten gymnastiekschoenen, en dat allemaal om een paar kilo aardappels uit Overijssel te halen voor de kinderen van haar dochter, dan zei je: 'Natuurlijk, tante Miep, zal ik maar zeggen, kom toch binnen, hoe is het ermee,' en dan gaf je haar een kop erwtensoep en een plaatsje bij de carbidlamp en een bed, of ten minste een matras op de grond, voor de nacht.

Toen Michiel de hele kring had gegroet, wenkte hij zijn moeder mee naar de keuken. Voor dat soort uitstapjes was de knijpkat beschikbaar. De knijpkat was een soort fietsdynamo, die je met de hand kon aandrijven door een hendel op en neer te bewegen. Er kwam een redelijk straaltje licht uit, maar je kreeg er wel een lamme duim van. 'Het spijt me, moeder, ik heb een fles gebroken.'

'Hè jakkes, jongen, wat onvoorzichtig nou.'

Michiel liet de knijpkat rusten en lichtte het verduisteringsgordijn op. Een inktzwart gat.

'Er is geen maan en ik had de knijpkat niet,' zei hij verontschuldigend. Hij liet het gordijn weer zakken en begon plichtmatig zijn duim op en neer te bewegen, zodat ze weer iets konden zien. Moeder wilde dat ze zich dat zinnetje niet had laten ontvallen. Ze streek even over zijn haar. Hij doet het werk van een man, dacht ze. Hij gaat moederziel alleen door het pikkeduister melk halen, iets wat ik misschien niet zou durven, in ieder geval niet zou kunnen. En ik maak hem verwijten.

'Neem me niet kwalijk, Michiel,' zei ze. 'Het viel me uit de mond. Je kunt er niets aan doen. Ik dacht aan al die mensen binnen, die koffie moeten hebben.'

Koffie was natuurlijk sterk overdreven. Wat er gedronken werd, was surrogaat met een bruin kleurtje, waar de warme melk iets van moest maken.

'Ik kan niet nog eens gaan,' zei Michiel. ''t Is over achten. Als u even bijlicht, zal ik de scherven uit de tas halen.'

'Laat maar zitten tot morgen. Wil je de andere fles er even uithalen? Dank je. Hoe is het eigenlijk gebeurd?'

'Tegen een paaltje, in de buurt van Van Ommen. In het steelpannetje?'

'Ja, laat mij het maar doen.'

Michiel nam de knijpkat weer over en even later gingen ze terug naar de huiskamer, waar de melk werd gewarmd op de plattebuiskachel. Die kachel werd gestookt met houtblokken. Kolen waren er allang niet meer.

Toen de koffie was gedronken, begonnen de gasten te vertellen over het leven in de grote steden. Honger, kou en angst voor arrestaties, daar ging het vooral over. Alles was schaars. Alles was onzeker. Iedereen had wel een verhaal over een familielid dat had moeten onderduiken of een vriend die naar een concentratiekamp was gesleept of over een huis dat door een bom was verwoest. Daarna kwamen de geruchten over de stand van de oorlog, over de Amerikaanse generaal Patton, die zo goed opschoot aan het westelijk front en over verliezen die de Duitsers leden aan het Russische front, naar men zei.

En dan moppen over de oorlog. Anton Mussert, leider van de pro-Duitse NSB, was met zijn tante getrouwd, beweerde men. Meneer Van der Heiden wist te vertellen dat er een film was vertoond waarop Mussert voorkwam. Iemand voor in de zaal had geroepen: 'Anton!', en toen had iemand achter in de zaal met een hoog stemmetje geantwoord: 'Ja, tante.' Van zo'n verhaal genoten alle aanwezigen. En oom Ben zei: 'Hebben jullie gehoord van de weddenschap tussen Goering, Goebbels en Hitler wie het langst bij een bunzing in één ruimte kon blijven. Eerst probeert Goering het. Na een kwartier komt hij kokhalzend naar buiten. Dan Goebbels. Hij houdt het een halfuur uit. Ten slotte gaat Hitler het hok in. Vijf minuten later komt de bunzing naar buiten!' Door alle spanning en narigheid waren zulke eenvoudige grapjes voldoende om het hele zenuwachtige gezelschap in de lach te doen schieten.

De carbidlamp was bijna dood. Met brandende stompjes kaars schuifelde iedereen naar zijn bed of zijn matras op de grond. Michiel controleerde even of er aanmaakhoutjes voor de kachel waren voor de volgende dag. Een stukje kaars was niet meer te vinden en zijn moeder had de knijpkat. Op de tast klom hij naar zijn zolderkamertje, kleedde zich uit en dook zijn bed in. Heel in de verte bromde een vliegtuig.

'Rinus de Raat,' mompelde Michiel. 'Ik hoop dat 'ie uit de buurt blijft.'

Daarna viel hij in slaap en wist van niets meer, die hele zestienhonderdelfde nacht van de Duitse bezetting.

2

Toen het Duitse leger, op bevel van de grote Führer Adolf Hitler, op 10 mei 1940 Nederland en België binnenviel, was Michiel van Beusekom elf jaar. Hij wist nog hoe de radio spannende berichten uitzond over parachutetroepen, die werden uitgeworpen boven Ypenburg, herhaal boven Ypenburg, en boven Waalhaven, herhaal boven Waalhaven. De hele dag door trokken Nederlandse soldaten te paard door het dorp, die grappen maakten tegen de meisjes en die er allesbehalve heldhaftig uitzagen. Michiel had toen bij zichzelf besloten, dat oorlog een heerlijke, opwindende gebeurtenis was en hij hoopte dat het lang zou duren.

Nou, dat heeft hij geweten. De eerste twijfel kwam al na vijf dagen. Toen gaf het Nederlandse leger de ongelijke strijd op. Vader trok wit weg toen hij het bericht via de radio hoorde en moeder huilde. Daarna kwam de zorg over de jongens van het dorp die in het leger waren. In totaal waren dat er veertien. Van acht van hen kwam al gauw bericht dat ze ongedeerd waren. Van drie anderen kwam dat bericht enkele dagen later ook. Maar van de drie overigen hoorden ze niets. Dat waren Gerrit, de zoon van de bakker, Hendrik Bosser, een boerenzoon, en de zoon van hun tuinman, die witte Maas werd genoemd, omdat hij zo'n witte kuif had. Michiel weet nog als de dag van gisteren, dat hij een hele tijd op de kruiwagen naar de vader van witte Maas heeft zitten kijken, hoe die aan het werk was in de tuin. Hij zei niets – hij werkte gestaag door. Een week later werkte hij ook nog gestaag door, nadat bekend was geworden dat Gerrit en Hendrik terecht waren.

Gerrit had gevangen gezeten. Zijn dikke hoofd glom van pret toen hij vertelde hoe een Duitse officier vol verbazing op de sproeten had gewezen, die zijn gezicht van onder tot boven bedekten.

'Dat zijn de roestige uiteinden van mijn stalen zenuwen,' had hij geantwoord, en door dat antwoord leek het alsof we de oorlog toch niet helemaal hadden verloren. Hendrik Bosser had gewoon vergeten een berichtje naar huis te sturen. Maar witte Maas was begraven bij de Grebbeberg. Zijn vader wiedde de tuin van burgemeester Van Beusekom en zei niets.

Ja, toen al, zo kort na die tiende mei 1940, had de jonge Michiel begrepen dat zijn wens een domme wens was en dat de oorlog beter vandaag kon aflopen dan morgen. Maar dat kon je net denken. Vier jaar en vijf maanden duurde het nu al en 't was steeds erger geworden. Weliswaar waren afgelopen juni in Frankrijk de Amerikanen en de Engelsen geland en waren ze bezig de Duitsers terug te drijven – ze waren al gevorderd tot het zuidelijk deel van Nederland – maar over de rivieren waren ze niet gekomen. Ze hadden het geprobeerd, bij Arnhem. Helaas, de slag om Arnhem was door de Duitsers gewonnen. En nu lag er een winter voor de deur. Een pikzwarte winter. De Duitse bezetter, die heel goed wist dat hij aan het verliezen was, hield huis als nooit tevoren. Bijna alles wat eetbaar was werd in beslag genomen en naar Duitsland vervoerd. In de grote steden brak hongersnood uit. In de lucht hadden de Duitsers niets meer te vertellen. Amerikaanse en Engelse jagers vlogen rond en schoten op ieder vervoermiddel dat ze zagen. Zo dwongen ze de Duitsers om alle transport 's nachts te doen, in het pikkedonker, en dat was niet bepaald gemakkelijk.

Het dorp de Vlank, waarvan Michiels vader burgemeester was, lag aan de noordrand van de Veluwe, dicht bij Zwolle. Maar tussen de Vlank en Zwolle stroomde nog de IJssel, en dat was erg belangrijk. Want over de IJssel lagen twee bruggen, een voor de auto's en een voor de trein. De geallieerden deden hun uiterste best om die bruggen kapot te gooien. Ieder ogenblik werd er gebombardeerd. Een vernielde brug zou het Duitse vervoer ernstig belemmeren.

Behalve voor verkeer hadden de bruggen nog een functie. Je kon er zo gemakkelijk de mensen aanhouden en hun papieren controleren. Je kon er jonge mannen arresteren en ze naar Duitsland sturen om ze daar te laten werken in een wapenfabriek. Je kon er onderduikers snappen, die geen geldig persoonsbewijs hadden. Een fijne fuik, die IJsselbrug, vonden de Duitsers.

En daarom stopten er nogal eens mensen in de Vlank om te informeren of ze veilig de brug over konden en hoe scherp er gecontroleerd werd. Van de burgemeester was bekend, dat hij geen vriend was van de Duitsers. Zodoende was het meestal een drukte van belang bij de Van Beusekoms.

De ochtend na die avond met de gebroken fles stond Michiel om half acht op. Veel eerder had geen zin, in verband met de duisternis. Hij dacht dan ook dat hij de eerste zou zijn, maar nee. Oom Ben was al bezig de kachel aan te maken.

Oom Ben was geen echte oom. Erica, Michiel en Jochem noemden hem zo, omdat hij dikwijls kwam. Meestal bleef hij een paar dagen. Van bijna iedereen zou dat vervelend zijn geweest, in verband met het voedsel. Dat gold niet voor oom Ben. Die wist altijd iets op te scharrelen. De vorige keer had hij zelfs een half onsje vooroorlogse thee voor moeder meegebracht en een echte sigaar voor vader.

'Goeiemorgen, oom Ben.'

'Ha, Michiel. Ik heb je nodig, kerel. Ik moet vandaag een half of liefst een heel mud aardappelen op de kop tikken. Weet jij een adresje?'

'We zouden bij Van de Bos kunnen proberen. Die woont nogal achteraf, een dik halfuur fietsen hiervandaan. Omdat hij zo ver van de grote weg zit, heeft hij niet veel aanloop. Ik ga wel met u mee ernaartoe.'

'Graag.'

Het begon lekker warm te worden in de kamer. De kachel brulde van enthousiasme. Wantrouwig keek Michiel ernaar. Het halfnatte hout, waarmee ze het meestal moesten doen, kon zo goed niet branden. Hij lichtte het deksel van de antieke, eikenhouten kist op. Zie je wel: leeg. Oom Ben had glashard alle wanhoopshoutjes in de kachel gestopt.

'U hebt de wanhoopshoutjes gebruikt,' zei Michiel verontwaardigd.

'De wát?'

'De wanhoopshoutjes.'

'Wat zijn dat?'

'De dunne, droge aanmaakhoutjes uit de kist. Weet u, af en toe wordt moeder wanhopig. Dat is als de kachel dreigt uit te gaan net voordat het eten gaar is. Dan mag ze de houtjes uit deze kist gebruiken. Vader en ik hakken ze om beurten, heel dun, en spreiden ze uit achter de kachel tot ze kurkdroog zijn.'

Oom Ben keek schuldbewust.

'Ik zal hoogstpersoonlijk zorgen dat de kist weer vol komt.'

Michiel knikte. Daar doe je een uur over, vriend, dacht hij, maar hij zei niets. Hij bood ook niet aan om het voor zijn oom te doen. Wie roekeloos omsprong met de wanhoopshoutjes moest daarvan zelf de wrange vruchten maar plukken.

Van lieverlee kwamen de gasten uit hun bedden. Ze kregen twee kleiige boterhammen en een bordje karnemelkse pap. Daarna bedankten ze mevrouw Van Beusekom hartelijk en vertrokken; sommigen naar het noorden, waar ze een mud rogge of een zak aardappelen zouden kunnen kopen – anderen naar het westen, naar huis, waar hun familieleden met van honger opgeblazen buiken op hen zaten te wachten.

Toen ook de huisgenoten hun ontbijt ophadden, vroeg oom Ben aan Michiel of hij nu meeging naar die Van de Bos. Michiel keek eens veelbetekenend naar de wanhoopshoutjeskist en zei, dat hij eerst even naar Wessels moest met een paar konijnen. Oom Ben berustte, zocht een bijl, en begaf zich naar het hakblok achter de schuur.

Michiel voerde zijn dertig konijnen, koos er drie uit, woog ze en vertrok naar Wessels, vastbesloten ten minste vijftien gulden voor zijn handeltje te vangen.

Michiel was al maanden niet meer naar school geweest. Officieel was hij overgegaan naar de vierde klas van het lyceum in Zwolle, maar hij kon er niet meer komen. De eerste dag na de zomervakantie had hij het nog geprobeerd met de trein. Dat was een mooie tocht geworden. Bij Vlankenerbroek was een vliegtuig over de trein komen cirkelen. De trein was gestopt en alle passagiers waren uitgestapt en een eind het bouwland ingevlucht, terwijl de Engelse jager laag over hun hoofden raasde. Maar de Engelse en Amerikaanse piloten waren er niet op uit Nederlandse burgers dood te schieten. Ze wilden alleen alle vervoermiddelen van de Duitsers uitschakelen.

Toen de passagiers ver genoeg weg waren, dook de jager een paar maal laag over de locomotief en doorzeefde die met kogels.

En daarmee waren de tochten naar Zwolle afgelopen. Met de fiets ging het ook niet, want er waren geen luchtbanden te krijgen. En om nu iedere dag zo'n eind op houten banden te gaan... Bovendien vonden Michiels ouders het te gevaarlijk.

Niet naar school dus, beslisten ze. Dat was een van de weinige dingen die ze nog voor hun zoon beslisten. Voor het overige was hij vrijwel zelfstandig. Dat kwam door de oorlog. Hij trok eropuit en kwam terug met boter, eieren en spek. Hij werkte bij de boeren. Hij dreef zijn eigen handeltje. Hij repareerde voor de trekkers uit de stad de kaduke kruiwagens, karretjes en rugzakken. Hij wist enkele joodse onderduikers te zitten. Hij wist vrij precies wie een clandestiene radio had. Hij wist dat Dirk bij de geheime ondergrondse strijdkrachten was aangesloten. Het was niet erg, dat hij van deze gevaarlijke dingen op de hoogte was. Hij was van nature gesloten en hij had er geen behoefte aan om over wat hij wist te kwebbelen.

Toen hij terugkwam van Wessels, zeventien gulden rijker, trof hij bij het hek van hun tuin Dirk, de buurjongen.

'Môge.'

'Ik moet je spreken,' zei Dirk. 'Onder vier ogen.'

'Kom even mee naar de schuur. Wat is er aan de hand?'

Maar Dirk zweeg tot ze in de schuur waren.

'Kan niemand ons hier horen?' vroeg hij toen.

'Welnee, joh, er is hier niemand. 't Is hier zo veilig als wat,' zei Michiel. 'Trouwens, iedereen bij ons thuis is te vertrouwen. Wat heb je?'

Dirk keek een stuk ernstiger dan zijn gewoonte was.

'Zweer dat je er niemand iets van zult vertellen.'

'Ik zweer,' zei Michiel.

'Vanavond,' zei Dirk, 'overvallen we met drie man het distributiekantoor in Lagezande.'

Lagezande was een dorp op zes kilometer afstand van de Vlank.

Michiel kreeg er een vreemd gevoel van in zijn maag, dat hij op de hoogte werd gesteld van de plannen voor een overval, maar hij deed alsof hij het doodgewoon vond.

'Waarom overvallen jullie een distributiekantoor?'

'Kijk eens,' legde Dirk uit, 'er zitten hier in de buurt een heleboel onderduikers. Die krijgen natuurlijk geen bonnen toegewezen voor brood, suiker, kleding, tabak, enzovoorts.'

Je moet weten dat je bijna niets kon kopen als je geen bonnen had. Alles was op de bon, zoals dat heette.

'Ik snap het,' zei Michiel.

'Goed,' zei Dirk. 'We overvallen het distributiekantoor, nemen alle bonnen mee, en verdelen die onder de mensen die onderduikers in huis hebben.'

'Hoe kom je in de brandkast?'

'Ik neem aan, dat meneer Van Willigenburg die keurig voor me openmaakt.'

'Wie is meneer Van Willigenburg?'

'De directeur. Die man is van het goeie soort. Ik weet dat hij vanavond overwerkt. Wij gaan er heen en dwingen hem de brandkast te openen en ons de nieuwe bonkaarten te overhandigen. Ik reken erop dat hij niet erg zal tegenspartelen.'

'Wie zijn *we*?'

'Dat gaat je niet aan.'

Michiel grijnsde. Dirk zou daar gek zijn en namen gaan noemen.

'Waarom vertel je me dit allemaal?'

'Luister, Michiel. Ik heb hier een brief. Als er iets mis mocht gaan, moet jij die brief aan Bertus van Gelder geven. Wil je dat doen?'

'Aan Bertus Hardhorend? Zit die ook in het verzet?'

'Je moet niet zoveel vragen. Jij geeft die brief aan Bertus. Dat is alles. Oké?'

'Natuurlijk. Je denkt toch niet dat er iets misgaat?'

'Nee, dat denk ik niet. Maar je kunt nooit weten. Heb je een plek om de brief te verbergen?'

'Jawel. Geef maar hier.'

Dirk haalde een envelop van onder zijn trui tevoorschijn. Hij was dichtgeplakt en er stond niets op geschreven.

'Waar verstop je hem?'

'Dat gaat jou niet aan.'

Dirk grijnsde op zijn beurt.

'Morgen kom ik hem terughalen,' zei hij.

'Oké. Laat je niet pakken, Dirk.'

'Nee, hoor. Zorg goed voor de brief. Ajuus.'

'Ajuus.'

Fluitend liep hij de schuur uit. Michiel opende de deur die toegang gaf tot het binnenhok van de kippen. Hij haalde het stro uit het vierde leghokje van rechts. Het plankje op de bodem zat los. Hij tilde het half op en schoof de brief eronder. Daarna bracht hij alles terug in de oude toestand. 'Die vinden ze niet,' dacht hij bij zichzelf.

Hij liep naar zijn zolderkamertje en schreef voor de zekerheid met potlood 4 r op het houten beschot van zijn bed. Vierde van Rechts. Niet dat hij het zou vergeten, maar je kon nooit weten. Ziezo, dat was geregeld. Wat nu? O ja, met oom Ben naar Van de Bos. Hij ging naar beneden en kwam oom Ben tegen, die met een arm vol wanhoopshoutjes op weg was naar de kamer. Met een olijk gezicht zei hij: 'Is de baas tevreden over me?'

'Eersteklas werk,' prees Michiel. 'Zullen we gaan? U mag vast vaders fiets wel lenen.'

'Heb ik al gevraagd,' zei oom Ben. 'Is in orde. Heb jij nog een berijdbaar vehikel?'

'Eén massieve en één houten band,' zei Michiel opgewekt. 'Het hobbelt, maar we rijden.'

'Goed zo. Afmars dan.'

Onderweg vertelde oom Ben over het ondergrondse verzet in Utrecht, waar hij bij betrokken was.

'Onze belangrijkste taak is het organiseren van ontsnappingswegen,' zei hij.

'Ontsnappingen uit de gevangenis? Is dat mogelijk?'

'Nee, niet uit de gevangenis, ofschoon daarvan ook mooie staaltjes zijn vertoond. Ik bedoel: het land uit. Bijna dagelijks worden er Engelse en Amerikaanse vliegtuigen neergeschoten. Als de piloten zich kunnen redden, verbergen ze zich en proberen contact te krijgen met de ondergrondse beweging. Wij doen ons best die piloten naar Engeland te krijgen. Hetzij met schepen, die 's nachts de havens uitgesmokkeld worden, hetzij over land, via Spanje.'

Een laag over hun hoofden scherend vliegtuig maakte het even onmogelijk elkaar te verstaan. Daarna vervolgde oom Ben: 'Er zijn verzetsgroepen die Duitse officieren neerschieten. Dat vind ik bijzonder onverantwoordelijk. Je bereikt ermee, dat de moffen gijzelaars oppakken, willekeurige burgers, en die zonder vorm van proces doodschieten.' Michiel knikte. Op die manier was een collega van zijn vader uit een gemeente in de buurt vermoord, nog niet zo lang geleden.

'Lukt het vaak, die ontsnappingen uit het land?' vroeg hij.

'Helaas worden ze nogal eens ingerekend onderweg. Ze gaan dan naar een krijgsgevangenkamp. Maar als er een Nederlandse burger bij wordt gesnapt, gaat die onverbiddelijk tegen de muur. Natuurlijk pas nadat ze hem zo lang hebben geslagen tot hij alle contactadressen heeft verraden. Je begrijpt dat we daarom proberen het zó te organiseren, dat de verschillende schakels onderweg zo min mogelijk van elkaar weten.'

'Loopt u zelf veel gevaar?'

'Nee, hoor, niet zoveel. Mijn afdeling is het vervalsen van papieren. Ik heb daarvoor contact met een paar onderduikers, die er meesters in zijn. Volgens mij moeten ze na de oorlog in de valsmunterij. Dan kunnen ze schatten verdienen,' grijnsde oom Ben.

Het viel niet mee om een gesprek te voeren boven het geratel van Michiels houten band uit. Bovendien moesten ze rechts afslaan, een zandweg op, of beter gezegd, een karrenpad met een verharde strook voor rijwielen ernaast. Daar konden ze niet meer naast elkaar fietsen. Omdat Michiel de weg wist, ging hij voor.

Boer Van de Bos was bereid oom Ben een halve zak rogge te verkopen voor de redelijke prijs van 20 cent per kilo. Veluwse boeren waren in de oorlog geen uitbuiters. Strikt genomen was het een onrechtmatige daad, want de boeren moesten hun hele oogst afdragen aan de boerenbond, die natuurlijk door de Duitsers werd gecontroleerd. Van de Bos keek oom Ben ook wel even argwanend aan, maar omdat de zoon van hun honderd percent betrouwbare burgemeester erbij was, aarzelde hij toch niet.

'Fijne lui, die boeren hier,' zei oom Ben, terwijl ze terugfietsten.

'Ja, ja,' zei Michiel. 'Nu zijn ze goed. Maar voor de oorlog scholden jullie stadsmensen ze voor strontboeren en wat niet al.'

'Ik niet hoor. Ik heb boeren altijd hoog in de pet gehad.'

De dag verliep verder rustig. Er werd wat geschoten in de verte, bij de IJssel, maar dat was zo gewoon dat niemand er acht op sloeg. Michiel verzorgde de kippen en de konijnen, bracht voor zijn vader een brief naar een van de wethouders (de telefoon deed het niet meer), hielp een voorbijkomende trekker, wiens karretje vol aardappelen instortte. Kortom, hij maakte zich verdienstelijk. Diep in zijn binnenste kankerde een vaag gevoel van 'ik wou dat het alvast morgen was'. Dat zat 'm in die overval van Dirk. Niet dat het zo gevaarlijk was. Zulke overvalletjes gebeurden geregeld, maar toch... Het werd avond en het huis vulde zich zoals gewoonlijk met halve vreemdelingen. Tussen negen en tien uur was er een aanhoudend gebrom van vliegtuigen in de lucht. Amerikaanse bommenwerpers, op weg naar Duitsland, wisten ze.

'Dat kost weer duizenden eenvoudige burgers het leven,' zuchtte mevrouw Van Beusekom, maar haar man en Erica en Michiel konden zich er niet druk om maken.

'Eigen schuld,' zei de burgemeester hard. '*Zij* zijn deze afschuwelijke oorlog begonnen. *Zij* hebben het eerst open steden gebombardeerd, Warschau en Rotterdam. Leer om leer.'

'Daar heeft het kleine meisje in Bremen, dat misschien op dit moment een bomscherf in haar been krijgt, part noch deel aan,' zei mevrouw Van Beusekom. 'Oorlog is vreselijk.'

Het beeld van een meisje met een bomscherf in haar been, daar hadden ze niet zo gauw van terug. Het gebrom stierf weg.

Ook de carbidlamp gaf langzaamaan de geest. Michiel liep naar buiten en tuurde naar het huis van de buren. Hij zag of hoorde niets. 'Dirk is natuurlijk allang binnen,' probeerde hij zichzelf gerust te stellen. Hij wilde net weer in huis gaan, toen hij een auto hoorde aankomen. Instinctief drukte hij zich tegen de muur. Snel reed de auto niet. Dat kon ook niet met de dunne streepjes licht die uit de verduisterde koplampen kwamen. Tot zijn grote schrik hoorde Michiel, dat de auto stopte voor het huis van Knopper. Een zaklantaarn flitste aan. Nog dichter drukte hij zich tegen de muur. Kennelijk liepen er een paar mannen door de voortuin van Dirks huis. Ja hoor, er werd zo hard aan de bel gerukt, dat hij het duidelijk kon horen. Ook werd er met een laars tegen de deur geschopt.

'Aufmachen.'

Aan dat bevel tot openmaken van de deur werd blijkbaar voldaan, want Michiel hoorde de onzekere stem van Dirks vader en enig geschreeuw in het Duits dat hij niet kon verstaan. De soldaten gingen naar binnen en het werd stil.

Fout. Foute boel, dacht Michiel onthutst. Dirk is gesnapt, of misschien weten ze dat hij aan de overval heeft deelgenomen. Het hart klopte hem in de keel.

De achterdeur ging voorzichtig open en meneer Van Beusekom riep zachtjes de nacht in: 'Michiel, ben je nog in de schuur?'

'Ik ben hier,' fluisterde Michiel, die nog geen halve meter van zijn vader afstond, zodat de burgemeester zich half doodschrok. Hij maakte een vreemd geluid, zoiets als 'argt'.

'Ssst.'

'Wat doe je hier in vredesnaam?'

'Er is huiszoeking bij Knopper.'

Michiels vader luisterde. Geen geluid drong door de stilte. Ja toch, heel in de verte blafte een hond,

'Hoe kom je daarbij?'

'Ik heb ze net binnen zien gaan. Ze schopten tegen de deur.'

'Ik kan me niet voorstellen, dat Knopper ooit iets tegen de Duitsers zou durven ondernemen. Trouwens, ze hebben inkwartiering. Of zouden ze huis aan huis doorzoeken?'

'Nee,' zei Michiel. 'Ze reden heel doelbewust naar Knopper toe.'

De burgemeester dacht na.

'Zou het om Dirk begonnen zijn? Hij heeft een bewijs van onmisbaarheid voor zijn werk. Hij is vrijgesteld van werken in Duitsland. Zou hij soms in de ondergrondse zitten?'

Michiel moest op het puntje van zijn tong bijten om zijn vader niet te vertellen over het distributiekantoor in Lagezande en over het briefje dat hij had verstopt. Maar hij hield zijn mond. Ook zijn vader zweeg. Beiden waren in gedachten verdiept.

Plotseling ging de deur van het huis van Knopper weer open. De mannen kwamen naar buiten en liepen naar de auto. Voor zover Michiel en zijn vader konden nagaan, voerden ze niemand mee. Maar mevrouw Knapper stond in de deuropening, dat konden ze in het vage lichtschijnsel zien, en ze jammerde: 'Schiet hem niet dood. Hij is mijn enigst kind. Schiet hem niet dood.' De portieren sloegen dicht en de auto reed weg.

'Ik ga er even heen,' zei de burgemeester. 'Zeg jij het tegen moeder?'

'Goed.'

Michiel ging naar binnen. De gasten waren naar bed, maar moeder redderde nog wat in de keuken bij het licht van een kaars. Hij vertelde wat ze hadden gezien.

'Ik wacht tot vader terug is,' zei hij.

'Dat begrijp ik,' zei moeder. 'Maar ga je dan wel vast uitkleden.' Op de tast liep Michiel naar boven. Toen hij de trap naar de zolder opliep, zag hij tot zijn verbazing dat er een zwak lichtschijnsel uit zijn kamertje kwam.

'Schrik niet,' zei een stem. 'Ik ben het.'

Het was de stem van oom Ben.

'Wat bent u in vredesnaam aan het doen?'

'Ik was op zoek naar een Engels woordenboek,' fluisterde oom Ben, 'en ik heb het gevonden ook, op jouw boekenplank. Ik moet een briefje schrijven aan een van mijn relaties, maar mijn Engels is wat versleten aan de randjes. 's Kijken, ja, hier heb ik het. *Dynamiet*. Ach, natuurlijk, gewoon *dynamite*. Wat dom van me. Nou, bedankt hoor. Welterusten.'

'U mag het woordenboek wel zolang meenemen. Ik heb het toch

niet nodig, nu ik niet naar school kan. En in het dagelijks leven heb ik meer aan mijn Duitse woordenboek, helaas.'

'Nee hoor, dat is niet nodig. Maar in elk geval bedankt.'

Oom Ben verdween naar het voorkamertje op de eerste verdieping, waar hij gewoonlijk sliep. Michiel stak zich in zijn pyjama en ging toen bij zijn moeder in de keuken zitten wachten. Lang duurde het niet. Vader kwam binnen met een bedrukt gezicht.

'Dirk zou hebben deelgenomen aan een overval op het distributiekantoor in Lagezande. Ze zeggen dat ze hem gepakt hebben. Een van de andere overvallers schijnt te zijn doodgeschoten. Het huis bij Knopper is doorzocht, niet al te grondig, voor zover ik kon nagaan, maar ze hebben niets gevonden. Knopper en zijn vrouw zijn erg overstuur.'

'Ik kan het me voorstellen,' zuchtte mevrouw Van Beusekom. 'Wat staat Dirk nu te wachten?'

13

De brief zeurde de hele nacht door Michiels hoofd. Soms droomde hij, soms waakte hij, maar de brief was voortdurend in zijn gedachten. Het leek alsof dat stukje papier Dirk zou kunnen redden. Wie zou nu graag in Dirks schoenen staan? Gevangene zijn van de Duitsers was een ramp – vooral als ze dachten dat je iets wist en dat uit je wilden krijgen. Ik moet me morgenochtend zo normaal mogelijk gedragen, dacht Michiel. Niemand mag vermoeden dat ik ergens speciaal heen moet. Niemand mag zien dat ik naar Bertus Hardhorend ga. Ik moet buitengewoon voorzichtig zijn. Hij meende dat hij geen oog dichtdeed, maar toch nog onverwacht was het ochtend. Hij deed de gebruikelijke werkjes en pas om een uur of tien haalde hij onopvallend de brief uit het leghokje. Helemáál onopvallend was het niet, want hij moest er een leggende kip voor verjagen en die maakte een misbaar alsof hij, pardon zij, aan het spit moest. Maar goed, uit het gekakel van een kip zou toch niemand iets kunnen afleiden. Hij verborg de brief onder zijn trui en fietste weg. Hij had een flinke trap voor de boeg, want Bertus woonde minstens acht kilometer het land in.

Hij zou Bertus die dag niet bereiken. Allerlei tegenslagen troffen hem. Het begon met de massieve band, die van de velg liep. Er zat een fikse breuk in, zodat hij hem er niet zelf weer om kon leggen. Fietsenmaker. Niet thuis. Andere fietsenmaker. Geen andere band voorradig. Reparatie oude band. Eerst ander klusje afmaken. Anderhalf uur. Hè hè. Hij fietste weer.

Hij was nog op de straatweg, toen er een auto aankwam. Nu waren ze er in de Vlank aan gewend geraakt om erg goed op te letten als er een gemotoriseerd voertuig in de buurt was en niet ten onrechte, zoals we zullen merken. Alsof de piloot de auto rook, kwam hij met zijn vliegtuig uit de lucht schieten. Michiel reageerde onmiddellijk. Hij sprong van zijn fiets en dook met een snoeksprong in een eenmansgat. Eenmansgaten waren gaten in de grond, waar net een man in paste. Je kon ze overal langs de wegen vinden, precies voor het doel, waarvoor Michiel er nu een gebruikte. De auto stopte en twee Duitse soldaten renden voor hun leven in de richting van een paar dikke bomen. Net op tijd. De jager dook en gaf een salvo met zijn mitrailleurs. Michiel trok zijn hoofd tussen zijn schouders en maakte zich zo klein mogelijk. Zijn hart stond even stil van angst toen hij de kogels naast zich op het wegdek hoorde tikken. Toen was het alweer voorbij. Het geluid stierf weg. Hij keek over de rand en zag dat de auto in brand stond. De twee soldaten waren ongedeerd, maar een van de koeien in het weiland, dat aan de weg grensde, was geraakt. Het arme dier kon niet meer lopen en loeide klaaglijk. De soldaten kwamen van achter hun boom tevoorschijn en keken gelaten naar de brandende auto. Ze haalden hun schouders op, lieten de zaak zoals hij was en wandelden weg, in de richting van het dorp.

Michiel voelde de brief onder zijn trui. Hij leek wel tien kilo te wegen. Maar de koe loeide. Hij meende te weten dat dit weiland van Puttestein was. Je kon dat beest toch niet zomaar aan zijn lot overlaten. Alla, naar Puttestein. En daar was al het manvolk van huis. Alleen vrouw Puttestein was er en die was slecht ter been. Michiel overlegde met haar en stapte toen met een pikzwart humeur op zijn fiets om de slachter te gaan waarschuwen. Want er was natuurlijk geen beginnen aan om de koe op te lappen.

En zo verstreken de uren. Het was drie uur tien toen Michiel ten derden male op weg ging naar het huis van Bertus Hardhorend. Hij was amper halverwege, toen hij iemand passeerde. Tot zijn schrik zag hij, dat het Schafter was.

'Asdat Michiel van de burgemeester niet is.'

'Goeiemiddag, Schafter.'

'Waar moet jij zo hard naartoe? Is er brand?'

Schafter was niet te vertrouwen, dat wist iedereen. Hij hing rond bij de kazerne, hij zat soms bij de Duitse soldaten in de kantine, hij knapte karweitjes voor ze op, en hij werd ervan verdacht de joden te hebben aangegeven, die vorig jaar gepakt waren bij Van Hunen. Ze waren weggevoerd, naar Duitsland. Van Hunen ook. Nooit meer iets van gehoord. En daarom antwoordde Michiel haastig: 'Ik moet naar wethouder Van Kleiweg in Lagezande.'

'Dat treft, zeg. Daar moet ik ook naartoe. Kunnen we mooi samen opfietsen.'

In zijn binnenste mompelde Michiel alle lelijke woorden die hij kende. Daar zat 'ie nou met z'n goeie gedrag. Nou moest 'ie naar Lagezande in plaats van naar Bertus. En wat kon hij in vredesnaam tegen wethouder Van Kleiweg zeggen? Hij was er niet zeker van of die Van Kleiweg goed of fout was. Terwijl Schafter maar doorzeurde over ditjes en datjes, beulde Michiel zijn hersens af om een goeie smoes te verzinnen dat 'ie ineens toch weer niet naar Lagezande hoefde. Hij wist niets te bedenken.

'Hè je gehoord van die overval op het distributiekantoor in Lagezande, gisteravond?' vroeg Schafter.

'Ze hadden het erover vanmorgen,' zei Michiel argwanend.

'Wie *ze*?'

'Weet ik veel. Bezoekers, of mensen waar ik even was.'

'Je moet zeker voor je vader naar wethouder Van Kleiweg, hè?'

'Gut, nee man, ik moet hem een schone luier gaan omdoen,' zei Michiel, hevig geïrriteerd.

'Nou ja, 't kon toch,' zei Schafter, helemaal niet uit het veld geslagen door Michiels nijdige toon.

Een kwartiertje later kwamen ze aan bij het huis van de wethouder, die zelf opendeed.

'Kom binnen, mensen,' zei hij hartelijk.

'Nee, dank u,' antwoordde Michiel. 'Ik kom alleen even namens mijn vader zeggen dat de vergadering van het waterleidingbedrijf volgende week dinsdag is, op de gewone tijd.'

'O, dank je. Dinsdag om vier uur dus. Zeg maar aan je vader dat ik er zal zijn. Dag hoor.'

'Goedemiddag, heren.'

'Ik heb maar vijf minuten werk hier,' zei Schafter. 'Als je even wacht, rijd ik met je terug.'

Maar Michiel had geen zin meer in het geteem en het brutale uithoren van Schafter.

'Ik heb erg veel haast,' zei hij. 'Neem me niet kwalijk. Een andere keer graag.'

Met een flink vaartje reed hij terug naar de Vlank. Nog altijd kraakte de brief onder zijn trui. Maar nu direct naar Bertus gaan durfde hij niet. Eerst moest hij zijn verzinsel over de vergadering van het waterleidingbedrijf rechtzetten. Helemaal uit zijn duim gezogen was het niet, want hij had zijn vader de vorige dag horen zeggen dat er volgende week een vergadering zou worden gehouden. Hij overwoog ernstig zijn vader alles te vertellen. 'Nee,' besloot hij, 'zo lang het niet nodig is, doe ik dat niet. Dan maar wat meer werk.' Gelukkig was zijn vader thuis.

'Vader,' loog Michiel zonder blikken of blozen, 'ik ga zo dadelijk even naar Lagezande. Ik hoorde u vanmorgen iets zeggen over een vergadering van het bestuur van de waterleiding. Moet ik soms een boodschap afgeven bij Van Kleiweg?'

'Ja,' antwoordde de burgemeester verrast. 'Goed dat je eraan denkt. Wil je hem zeggen dat de vergadering volgende week woensdag is, gewone tijd?'

'Woensdag, vier uur?'

'Ja. Bedankt hoor.'

'Dag.'

'Waar ga je eigenlijk naartoe?'

Michiel mompelde wat van 'kijken of ik een kip kan kopen voor een vrouw uit Amsterdam die bij dinges zit' en glipte de kamer van zijn vader uit. Dat zat wel goed, zijn vader zou niet verder vragen. Vervelender was dat hij nu weer naar Lagezande moest. Even had hij gehoopt dat hij goed gegokt had. Vergaderingen van de waterleiding waren nogal eens op dinsdag, meende hij te weten. Nou ja, 't was ook maar één dag mis. Hupsakee, op de fiets. Natuurlijk kwam hij onderweg Schafter tegen. De man keek kennelijk verbaasd, maar Michiel stak zijn hand op en reed hard door. 'Nou gaat die gluiperd zich suf zitten piekeren wat al dat heen en weer gefiets betekent,' dacht hij. Enfin, de vent was niet helderziend, mocht hij aannemen. Maar bijziend was hij ook niet, en daar moest iedereen goed rekening mee houden.

Tegen Van Kleiweg zei Michiel dat hij zich vergist had en dat de vergadering woensdag was. Haastig fietste hij terug naar huis. Hij kon nog net voor donker binnen zijn. Bertus moest in vredesnaam maar wachten tot de volgende dag. Voor de veiligheid stopte hij de brief weer in het leghokje. Hopelijk stond er niets in wat die dag had moeten gebeuren. Hij voelde zich echt ongelukkig. Dirk gevangen en hij was niet eens in staat geweest zo'n eenvoudige opdracht uit te voeren. Bovendien was hij moe van al dat gefiets. Er kwamen als gewoonlijk allerhande vreemde mensen binnendruppelen en oom Ben was vertrokken en Erica nam een halfuur de knijpkat in beslag om haar stomme haren te kammen en Jochem haalde om de twee minuten zijn neus op en...

Jasses, wat een rotdag.

4

De volgende dag werd het nog erger.

Zo vroeg hij kon zat Michiel op de fiets. Nu bereikte hij het boerderijtje van Bertus Hardhorend zonder moeilijkheden. Op het erf was niemand te zien, behalve de kettinghond, die tekeer ging alsof zijn staart in brand stond. Michiel ging naar binnen. Niemand op de deel. Niemand in de heerd. Waar zaten Bertus en zijn vrouw Jannechien? Alles was open – er moest iemand thuis zijn.

'Volk,' schreeuwde hij uit alle macht. Bertus zou het wel niet horen, maar Jannechien misschien?

Hij liep weer naar buiten. Wacht eens, rinkelden daar emmers in de schuur? Warempel, in de bouwvallige schuur torste Jannechien een paar emmers, die kennelijk te zwaar voor haar waren. Ze was de varkens aan het voeren.

'Hei, Jannechien.'

'Michiel van de burgemeester? Heb je nieuws van Bertus?'

'Nieuws van Bertus?'

Neerslachtig zette het vrouwtje de emmers op de grond.

'Ik dacht, misschien weet de burgemeester wat ze met Bertus gedaan hebben.'

'Met Bertus gedaan hebben?'

'Weet je dan geeneens dat ze Bertus gisteren weggehaald hebben?'

'Wie, de moffen?'

'Vanzelf de moffen. Wie anders?'

'Wat had 'ie dan gedaan?'

De kleine Jannechien stampte driftig met haar voet op de grond.

'Niks het 'ie gedaan. Hij was de varkens aan het voeren, net as ik nou. Ze hebben alles overhoop gehaald. Zelfs van z'n kleren konden ze niet afblijven. Maar ze hebben niks gevonden. Helemaal niks.'

‘En ze hebben ’m toch meegenomen?’

‘Ja. De rotzakken. Ik heb Kees nog losgemaakt. Die is één van die kerels naar z’n strot gevlogen. Toen hebben de anderen dat stomme beest net zo lang met hun geweerkolven geslagen tot ’ie los moest laten. ’t Is nog een wonder dat ze ’m niet doodgeschoten hebben.’

Michiel voelde zich miserabel.

‘Was het gisteravond, zei je, Jannechien?’

‘Om een uur of half vijf.’

Michiel dacht na. ’t Moest toeval zijn. Schafter kon onmogelijk iets geraden hebben. Hoe laat was hij hem de tweede keer tegengekomen? Een uur of vier? Het *kon* er niks mee te maken hebben. ‘Zeg, Jannechien, heb je ook gezien of ze bij andere boerderijen zijn geweest? Of hadden ze het alleen op jullie gemunt?’

‘Allenig op ons, dacht ik. Ze kwamen regelrecht hier op an rijen met die smerige rotwagens van ze. En weet je, Michiel, as Bertus wat gedaan het – ik weet er niks van hoor – maar as ’ie wat gedaan het, is ’ie verraaien.’

‘Hoe weet je dat?’ schrok Michiel.

‘Gisteravond, toen ’ie weg was, toen was ik zo overstuur, hè, toen ben ik naar me zuster gefietst, je weet wel, die met ‘Endik den Otter getrouwd is. Ze wonen op de hoek van de straatweg en het Driekusmanswegje dat hier op an gaat.’

‘Ja, ik ken ze wel.’

‘Nou, ik kom daar, aardig overstuur, zoals ik al zei, en ik vertel dat ze Bertus gehaald hebben, en daar zegt me zuster: “Verrek, meid, was dat om half vijf zo’n bietje? Dan heb ik ze met die twee auto’s hier het Driekusmanswegje in zien draaien. As ik geweten had dat die naar jullie toegingen!” “Wat hâ je dan gedaan,” vroeg ik. “Ja, niks eigenlijk,” zee ze.’

‘Je had het over verraad, Jannechien. Wat heeft dat met verraad te maken?’

‘O ja, me zuster zei dat die auto’s eerst stilstonden op de straatweg, en een van die kerels stond te praten met iemand van hier, en toen ze uitgepraat waren rejen ze het Driekusmanswegje in, regelrecht op ons an. En die vent had gewézen, met z'n arm.'

'Wie was dat, die man van hier met wie ze stonden te praten?'

'Ja, hoe heet die vent ook weer. Hij het zo'n bleek smoelwerk en hij fietst altied rond.'

'Bedoel je Schafter?'

'Krek, Schafter. Ze zeggen toch al dat 'ie niet deugt.'

Michiel zweeg. Hij voelde zich op de een of andere manier schuldig en toch, hoe kon Schafter nou iets geweten hebben? *Zelfs* als hij gemerkt had dat het bezoek aan wethouder Van Kleiweg een smoesje was, dan nóg kon hij niet weten dat Bertus Hardhorend er iets mee te maken had. Hij moest hier weg, om rustig te kunnen nadenken.

'Ik moet er vandoor, Jannechien. Ik hoop dat ze Bertus gauw weer laten gaan.'

'Zul je 't tegen je vader zeggen? Kan die d'r niks an doen?'

'Ik zal het hem natuurlijk vertellen. Maar of hij iets doen kan? Ik betwijfel het. Dag hoor. Het beste.'

Gelukkig had ze niet gevraagd waarvoor hij was gekomen. Hij fietste haastig weg. Een eindje verder stapte hij af en ging met zijn rug tegen een boom zitten om na te denken. 's Even de dingen op een rijtje zetten. Dirk vertelt hem van de overval en geeft hem een brief voor Bertus Hardhorend. Hij verstopt de brief. Die kón niemand gezien hebben. De overval mislukt. Eén man wordt doodgeschoten, één ontvlucht, Dirk wordt gepakt. Hij, Michiel, probeert de volgende morgen de brief naar Bertus te brengen, maar slaagt er door allerlei omstandigheden niet in. Sufferd dat hij is – hij had desnoods moeten gaan lópen toen zijn fiets stuk was. Schafter merkt misschien dat hij een smoes vertelt aan Van Kleiweg en ziet hem om vier uur voor de tweede maal richting Lagezande rijden. Om half vijf wijst Schafter twee Duitse overvalwagens de richting van Bertus' huis. 't Klopt niet. Er zit geen verband in.

Ineens dringt tot hem door wat er gebeurd moet zijn. Dirk moet hebben doorgeslagen. Ze zullen hem zo hebben gemarteld, dat hij de naam van Bertus genoemd heeft. En Schafter wees natuurlijk alleen de weg naar Bertus' huis, toen ze 'm vroegen waar die woonde. Natuurlijk, zo is het gegaan. Het zweet breekt hem uit als hij eraan denkt wat ze Dirk allemaal moeten hebben aangedaan om dit uit hem te krijgen. Dirk is er de man niet naar om bij de eerste vuistslag alles wat hij weet op te lepelen.

En dan schiet een nieuwe gedachte door zijn hoofd, waarvan hij nog meer schrikt. Als Dirk de naam van Bertus heeft genoemd, dan heeft hij misschien ook losgelaten dat hij, Michiel, een brief voor Bertus heeft. Dáár hebben de moffen natuurlijk zo naar gezocht. Naar die brief. Ze dachten natuurlijk dat die brief er om half vijf zo langzamerhand wel eens zou zijn. Ze wisten niet dat hij zo'n kluns was. Maar dat betekent dat ze hem nu vast thuis zitten op te wachten. Dan vangen ze hem en de brief tegelijk.

Maar dat mag niet. Michiel haalt de enveloppe tevoorschijn. Er staat niets op. Hij zal hem vernietigen, in duizend kleine snippertjes scheuren en begraven onder het zand. Zou hij die brief eerst lezen? Nee, want dan kan hij ook niks verraden als ze hem te pakken nemen. Weg moet die brief. Met een forse ruk scheurt hij hem in tweeën. En de helften nog eens in tweeën.

Wacht eens even. Als er nu eens iets in staat wat heel belangrijk is? Iets wat onmiddellijk moet gebeuren? Natuurlijk staat er iets in wat belangrijk is. Waarom zou Dirk anders de moeite hebben genomen om hem te schrijven? Bertus kan de opdracht die in de brief staat niet meer uitvoeren. *En dus moet hij het doen,* dringt ineens helder tot hem door. Het is een angstaanjagende gedachte.

Wel vijf minuten zit hij met de vier stukken papier in zijn handen zonder iets te doen. Als hij de brief leest is hij definitief bij het verzet betrokken. Als hij hem niet leest... ach, het is immers al zo ver. Toen hij die brief van Dirk aanpakte, had hij toch eigenlijk zijn handtekening al gezet.

Hij haalt de vier stukken brief uit wat er over is van de envelop-pe, strijkt ze glad en past ze aan elkaar. Dit staat er:

Als je dit leest ben ik in handen van de Duitsers. Er is iemand die hulp moet hebben. Herinner je je het luchtgevecht boven de Vlank, drie weken geleden, waarbij een Engels vliegtuig werd neergeschoten? De piloot is er met zijn parachute uitgesprongen. De Duitsers hebben vergeefs naar hem gezocht. Ik had meer succes. Ik heb hem gevonden. Hij bleek verwondingen aan zijn been en aan zijn schouder te hebben. Ik heb hem meegenomen. De wond is verzorgd en het been is in het gips gezet, door een deskundige. Door wie, dat doet er niet toe. Het probleem was daarna om hem te verbergen. Weet je nog dat ik in '41-'42 in de bosbouw werkte? We hebben toen veel jonge aanplant gepoot in het Dagdaler Bos. Ik heb daar toen een schuilplaats gegraven, ondergronds. Er zijn vier vakken met jonge aanplant, elk ongeveer drie bunder groot. De schuilplaats is in het midden van het noordoostelijk vak. De ingang is omringd door een dichte begroeiing van jonge sparren. Wie niet weet dat daar iets is, kan het onmogelijk vinden. In die schuilplaats zit de piloot. Ik breng hem om de andere dag eten. Hij kan niet lopen, dus als je hem niets brengt, verhongert hij. Wees wel voorzichtig, want hij heeft een revolver en hij is erg wantrouwend. 't Is moeilijk om met hem te praten, want hij kent alleen Engels – ik ben bang dat jouw Engels al niet veel beter is dan het mijne. Niemand weet iets van die schuilplaats. Wees er zuinig op. D.

Michiel las de brief driemaal. Daarna scheurde hij hem in talloze kleine snippertjes die hij begroef onder een plak mos. Hij voelde zich ineens heel kalm, ook al stond zijn maag raar strak van de spanning. Hij had nu dus een Engelse piloot onder zijn hoede. Daar stond de doodstraf op. De vraag was: hoeveel had Dirk losgelaten? Zo min mogelijk, daar was hij zeker van. Misschien had hij alleen de naam van Bertus Hardhorend genoemd en over hem, Michiel, niets gezegd. Hij moest voorzichtig naar huis gaan, proberen uit te vinden of de Duitsers er om hem waren geweest. Nee, wacht eens, het was nog vroeg. Eerst moest hij naar die piloot. Tenslotte had die man gisteren niets te eten gehad en misschien de dag ervoor ook niet. Goed, dan had hij voedsel nodig. Thuis halen? Onverstandig. Bij Van de Werf dan maar. Daar kon hij een potje breken. Van de Werf woonde hier in de buurt. Hij fietste erheen.

Vrouw Van de Werf was bezig het bakhuis schoon te maken. Daar hadden ze de hele zomer gehuisd, maar sinds het kouder was geworden, aten ze weer in de heerd. Nu moest het bakhuis aan kant voor de winter.

'Goei'ndag, Michiel,' zei vrouw Van de Werf.

'Dag, vrouw Van de Werf. Mooi, vast weer, hè?'

'Zeg dat wel. Je wordt groot, jong. Je mag wel oppassen dat de moffen je niet pakken. Hoe oud ben je nou?'

'Bijna zestien.'

'Kijk maar uit. De zoon van m'n zwager in Oosterwolde hebben ze vorige week opgepakt en naar Duitsland gestuurd. Om in een fabriek te werken, zeeën ze. Die is dan wel zeventien, maar evengoed... Ze nemen ze hoe langer hoe jonger.'

'Ik zal me een beetje gedekt houden.'

'En wat is 'r van je dienst. Je wou zeker weer iets te eten meenemen?'

'Als het kan graag.'

'En wat moest het wezen?'

'Zou een stuk ham te veel gevraagd zijn?'

'Nou, omdat jij het bent.'

Ze gingen samen naar binnen. Onder de kap van de schoorsteen hingen een aantal hammen, stukken spek en worsten. Vrouw Van de Werf nam een ham van de haak en sneed er een stuk af.

'Alsjeblieft.'

'Hartelijk bedankt, vrouw Van de Werf.'

Michiel betaalde en maakte aanstalten om te vertrekken.

'Moe'j geen snee mik met kaas?'

'Nou, dat sla ik niet af,' zei Michiel.

De vrouw sneed, het brood tegen haar borst, een paar dikke boterhammen af, deed er boter en kaas tussen, en overhandigde Michiel deze traktatie, waarvoor iemand in Amsterdam met vreugde een tientje zou hebben neergeteld.

'Bedankt, ik eet het onderweg op,' zei Michiel. 'Ik moet nodig weg.'

'Goed, hoor. Ajuus.'

Buiten het gezicht van de boerderij vouwde Michiel het papiertje, waarin de ham zat, open en pakte de dubbele boterham erbij in. Doelbewust zette hij koers naar het Dagdaler Bos.

Het noordoostelijk vak. 't Was niet moeilijk te vinden. Een grotere zorg was het voor Michiel om niet gezien te worden. Toen hij in de buurt kwam, verstopte hij zijn fiets tussen de struiken en ging te voet verder. Het bos stond roerloos in de herfstzon. Geen blaadje bewoog. Geen slagen van houthakkers drongen door de stilte. Geraas van auto's was niet te horen bij gebrek aan auto's. Alleen een paar vogels lieten merken dat ze er waren.

Michiel keek zorgvuldig om zich heen, terwijl hij de jonge aanplant naderde. Allemachtig, hoe kwam hij daar door? De kleine sparren stonden dicht op elkaar, zó dicht, dat hij eerst niet wist hoe hij aan zijn tocht naar het midden moest beginnen. Wacht eens, dicht bij de grond waren er minder zijtakken. Hij moest proberen tussen de stammetjes door te kruipen.

't Werd een moeizame bedoening, die hem heel wat schrammen aan armen en gezicht opleverde. Van tijd tot tijd ging hij voorzichtig staan, keek gespannen om zich heen of er iemand in de buurt was, en corrigeerde dan zijn richting. Hij vorderde, al was het langzaam. Voor zover hij kon nagaan was hij nu vrijwel midden in het vak. Waar was die schuilplaats nou? Behoedzaam sloop hij verder. Maar hoe omzichtig hij ook te werk ging, er kraakten toch heel wat takjes.

'Don't move!'

Hij schrok zich lam. De stem kwam van vlakbij. Zachtjes fluisterde hij: 'Goed volk.'

Waarom hij dat nu zei, wist hij zelf niet. Zeker ergens gelezen, in een indianenboek. O nee, Jannechien zei het altijd tegen haar hond.

'Who are you?'

Dat betekende: 'Wie ben je,' wist hij van school.

'Dirks friend,' zei hij.

'Where is Dirk?'

Waar Dirk was? In de gevangenis.

'In prison.'

'Come closer,' beval de Engelsman, en Michiel gehoorzaamde door in de richting van de stem te kruipen.

Al gauw zag hij nu een schuin naar beneden lopende gang. Tegen de wand leunde een man van even twintig jaar. Hij had een uniformbroek aan, waarvan één pijp was afgeknipt om ruimte te maken voor het gips, waar zijn hele been ingepakt zat. Hij had zijn rechterarm in een doek. Los over zijn schouders hing het jasje van zijn uniform. Hij had een woeste baard en in zijn linkerhand hield hij een pistool. Met dat pistool gebaarde hij Michiel het hol in te gaan. 't Was er donker, maar nadat Michiels ogen aan de duisternis waren gewend, bleek er toch voldoende licht door de ingang te komen om te kunnen zien hoe het hol was gebouwd. Kennelijk was er eerst een diep, breed gat gegraven. Tegen de wanden waren balkjes gezet om instorten te voorkomen. Daarop was een groot houten schot gelegd, de zijwand van een schuurtje of iets dergelijks. Daar weer op lag bosgrond, waarin een paar armetierige sparretjes groeiden. Blijkbaar was er toch te weinig aarde voor ze om goed wortel te kunnen schieten.

Het hol was ongeveer twee bij drie meter en een kleine twee meter hoog. Een mooi stuk werk van Dirk, dat wel, maar om er nu dag en nacht in door te brengen, en dat nog wel met zo'n gammel lijf... Langs een van de wanden, aan de meest beschutte kant, lag een hoop dorre bladeren met een paar paardendekens erop. Michiel zag een veldfles, een mok, een versleten wollen sjaal, dat was ongeveer alles. Mijn hemel, huisde die man hier al wéken?

Met enige moeite begonnen ze een gesprek. De piloot begreep dat hij langzaam moest spreken en Michiel pijnigde zijn hersens om zoveel mogelijk van zijn op school geleerde Engels op te diepen. Het lukte. De piloot, die doodgewoon Jack bleek te heten, was de koning te rijk dat hij eindelijk weer een beetje met iemand kon praten. Want met Dirk, die na de lagere school nooit meer een leerboek had gezien, was de conversatie erg moeizaam geweest. Maar toen hij hoorde dat Dirk gepakt was bij een overval en blijkbaar had doorgeslagen, werd hij erg ongerust. Over Dirk, maar ook met het oog op zijn eigen veiligheid. Zou Dirk ook iets over het hol hebben verteld?

Ongerust of niet, hij liet zich de ham goed smaken. Hij bleek geen druppel water meer te hebben en Michiel begreep dat hij iets te drinken mee had moeten brengen. Daar had hij geen seconde aan gedacht.

Of hij morgen terug kon komen, met meer voedsel en iets te drinken? vroeg Jack.

'Oké,' zei Michiel, want dat gevleugelde Amerikaanse woord was allang in Nederland bekend. Als ik morgen niet bij Dirk in een cel zit, dacht hij erbij, maar hij zei niets, al was het maar, omdat het zo ingewikkeld was in het Engels.

De piloot wees hem het 'pad', nou ja, het gangetje, waardoor Dirk gewoonlijk kroop en dat maakte het inderdaad iets makkelijker om weer uit het sparrenveld te komen.

Wees voorzichtig als de slangen, had Michiel in de catechisatieles geleerd. Daarom keek hij omstandig om zich heen voor hij zijn fiets uit de struiken viste. Daarom zorgde hij ervoor dat niemand hem het bos uit zag komen. Daarom ook ging hij niet rechtstreeks naar huis, maar bracht eerst een bezoekje aan Knopper. Hij zei hoe erg hij het vond van Dirk. Knopper en zijn vrouw waren nog tamelijk overstuur.

Het was gemakkelijk het gesprek op huiszoekingen te brengen – feitelijk praatten ze nergens anders over.

'Zijn er vandaag nog huiszoekingen gedaan in het dorp?' vroeg Michiel.

'Niet dat ik weet,' zei Knopper.

'Ik ben altijd bang dat ze m'n vader komen halen,' zei Michiel.

'Dat kan ik me voorstellen. Nu ze onze Dirk...'

Hij begon weer over zijn eigen ellende – begrijpelijk trouwens.

Michiel was nu vrij zeker dat de Duitsers die dag niet bij hen thuis waren geweest. Anders hadden de buren het beslist geweten. Toch was hij behoorlijk zenuwachtig toen hij zijn fiets in de schuur zette en door de achterdeur de keuken in kwam. Maar zijn moeder zei heel gewoon: 'Ha, Michiel, wat heb je de hele dag uitgespookt, jongen?'

Dat was dus voorlopig in orde.

'Niks bijzonders. Ik heb wat geklooid hier in de buurt,' zei hij. Zijn moeder nam genoegen met dit nietszeggend antwoord.

De avond ging voorbij. Michiel voelde een haast onweerstaanbare drang om iemand in vertrouwen te nemen, zijn vader, of zijn moeder, of oom Ben, maar hij weerstond die drang. 'Een goede verzetsstrijder is eenzaam,' had hij zijn vader eens horen zeggen. 'Hij is alleen met zijn taak en met wat hij weet.' Michiel wist heel goed dat hij nu was verwikkeld in grotemensenwerk; er stonden levens op het spel. Welnu, hij had er altijd een hekel aan gehad als kind te worden behandeld – hij zou zich als een man gedragen. En daarom zei hij niets. Ook al verwachtte hij dat zijn moeder de zorgen zo van zijn gezicht kon lezen en ieder ogenblik kon zeggen: 'Michiel, waar pieker je over' – ook al meende hij in ieder geluidje een overvalwagen te horen – ook al vroeg hij zich af hoe hij in de komende weken steeds aan eten voor Jack moest komen – hij zweeg.

5

Gemakkelijk was het zeker niet. Om de dag ging Michiel naar de piloot Jack. Vele waren de smoesjes die hij moest verzinnen om aan eten te komen. Talloos waren de uitvluchten die hij bedacht om zijn afwezigheid te verklaren. Het was niet zo moeilijk voor hem, als zoon van de burgemeester, om voedsel te kopen bij de boeren. Het was ook niet zo'n ramp dat het een aardige deuk sloeg in zijn spaargeld, verdiend in het afgelopen jaar met allerhande karweitjes. 't Was voor het goeie doel. Bovendien zei iedereen, dat het geld na de oorlog weinig meer waard zou zijn. Het probleem was dat zijn ouders niet te horen mochten krijgen, dat hij her en der etenswaren insloeg, terwijl hij ze niet thuisbracht. Uit voorzorg scharrelde hij af en toe wat extra's op en bracht dat inderdaad thuis. Verder zocht hij het in verafgelegen boerderijen, bij boeren, die niet zoveel contact hadden met het dorp.

Al met al was het een heel werk. Maar Michiel was al zielsblij dat de Duitsers hem niet waren komen halen. Blijkbaar had Dirk *zijn* naam niet genoemd. Daar was Michiel hem dankbaar voor. Misschien, overwoog hij, heeft Dirk de naam van Bertus Hardhorend genoemd, omdat die niets op zijn geweten had, en er bij hem niets gevonden kon worden. Dan wordt hij op den duur wel losgelaten. En dan rekent Dirk erop dat ik Jack in leven houd, dacht hij trots. O nee, dat klopte toch niet. Want Dirk wist niet beter of hij zou de brief *meteen* naar Bertus hebben gebracht. Of had Dirk zo snel doorgeslagen, dat hij meende dat ze Bertus al te pakken zouden hebben vóór hij, Michiel, de brief had afgeleverd? Diep in zijn hart vond Michiel dat Dirk het wel erg gauw had opgegeven, maar hij wilde die gedachte niet aan de oppervlakte laten komen. Wat zou hij zelf doen als ze hem de tanden uit zijn mond sloegen, of erger?

Intussen werd Jack er niet gemakkelijker op. Hij verveelde zich, en hij maakte zich er zorgen over dat de wond aan zijn schouder niet sneller genas. De omstandigheden waren er dan ook niet naar. Het koude, vochtige hol, met een berg bladeren als bed – niet direct een ziekenhuis waar een rijksinspecteur voor de volksgezondheid over in extase zou raken.

Michiel deed wat hij kon. Om te beginnen snaaide hij uit zijn vaders boekenkast een aantal Engelse boeken, die een beetje achteraf stonden en niet zo gauw gemist zouden worden. Waar die boeken over gingen, daar lette hij niet zo op. Jack keek dan ook eerst wel vreemd op toen hij een boek kreeg over de natuurgeneeswijze in de vorige eeuw, met mooie afbeeldingen van het schommelbad, het stoombad en het stortbad, en zelfs een gesloten enveloppe erin voor studenten boven de achttien (daar zaten plaatjes in, medisch verantwoord, van *die* delen van het lichaam, waaraan je kunt vaststellen of je nieuwe baby een jongetje is of een meisje – tja, een boek uit 1860), en een boek over stoomgemalen, en goddank een detective van Agatha Christie, en een verhandeling over de explosiemotor, en nog zo het een en ander. Jack stelde vast dat burgemeester Van Beusekom een brede belangstelling had, maar hij was erg blij met de boeken en leerde ze praktisch van buiten, uit enthousiasme, dat hij weer eens iets kon lezen in zijn eigen taal.

Verder probeerde Michiel het leven van zijn 'logé' wat geriefelijker te maken. Een bed kon hij met geen mogelijkheid ongemerkt naar het hol slepen, maar hij bracht meer oude dekens en hij zag zelfs kans een klapstoeltje mee te brengen. Ook zorgde hij dat er van lieverlee planken, spijkers en een hamer kwamen, en op een dag dat er houthakkers in het bos waren, zodat een paar klappen meer of minder niet opvielen, timmerde hij een deur in elkaar, waarmee de koude ingang van het hol kon worden afgesloten. 't Was jammer dat Jack dit afleidende werkje niet zelf kon doen, maar dat stond zijn gewonde schouder niet toe.

Ondanks al deze moeite werd Jack langzaamaan erg neerslachtig. Met de wond aan zijn schouder ging het eerder slechter dan beter. Het verband was vuil. Eenmaal had Michiel kans gezien een zwachtel op te scharrelen. Daarmee hadden hij en Jack in eendrachtige onkunde de wond opnieuw verbonden. Michiel was behoorlijk geschrokken van de lelijke plek. En toen het steeds maar niet beter ging, begreep hij dat de schouder deskundiger verzorgd moest worden. Maar hoe? Van de huisartsen in de Vlank en de omtrek was er niet één die hij blindelings vertrouwde. De wijkverpleegster? Hij wist weinig van haar. Verpleegster! Dat 'ie daar niet eerder aan had gedacht. Zijn eigen lieve krengige zusje Erica was vorig jaar leerlingverpleegster geweest in Zwolle. Dat was nu natuurlijk afgelopen, maar ze had er in ieder geval meer verstand van dan hij.

Kon hij Erica vertrouwen?

Natuurlijk kon hij Erica vertrouwen, wat was dat nou. Hij was bezig zo achterdochtig te worden, straks dacht hij nog dat zijn eigen moeder een Duitse spionne was.

Zou Erica het willen?

Zou Jack het willen?

Was het verantwoord om Erica te verklappen, waar de schuilplaats was?

Kon hij Jack tijdelijk buiten de schuilplaats brengen?

Hé, hoe was Jack met zijn gipsen been en kaduke arm eigenlijk in de schuilplaats gekomen? Hij vroeg het de piloot.

'Vraag dat niet,' zei die en hij trok zijn gezicht in een pijnlijke plooi. Hij vertelde hoe Dirk hem op zijn zij, trekkend aan z'n goeie been, tussen de stammetjes door had gesleept. Hij ging nog liever bij de Gestapo op de pijnbank dan dat hem dat nog eens overkwam.

Dat laatste was een wrang grapje, maar aangenaam was het tochtje kennelijk niet geweest.

'De oorlog zal nu wel gauw afgelopen zijn,' zei Michiel. 'In Nederland heeft hij vandaag precies vier en een half jaar en één dag geduurd.'

'O,' zei Jack. 'Hoeveel minuuts?'

Hij begon al een aardig mondje Nederlands te spreken. Michiel had, behalve het studiemateriaal over explosiemotoren en dergelijke, een boekje gevonden, geschreven door Philip Oppenheimer. Ze hadden daarvan thuis zowel een Engels als een in het Nederlands vertaald exemplaar, en hij had beide meegebracht. In zijn strijd tegen de verveling zat Jack daarin ijverig te studeren. Hij had het opgegeven een bruikbare natuurgeneeswijze uit het boek met het schommelbad op te diepen.

'We moeten iemand bij je wond halen,' zei Michiel.

'Kan niet,' zei Jack droog.

'Moet,' stelde Michiel nog droger vast.

Jack haalde zijn schouders op. Dat bezorgde hem zo'n pijn dat er enkele woorden uit zijn mond rolden die verre van droog waren. 'Ik bedoel maar,' zei Michiel.

Jack keek nors naar het groezelige verband.

'How jij denk dat te doen? Jij iemand haal van Deutsch militair hospitaal?'

'M'n zuster,' zei Michiel.

'Your sister?' zei Jack, die meende dat hij het wel verkeerd begrepen zou hebben.

'Ja, m'n zuster. M'n zuster is verpleegster.'

Hij zei er maar niet bij dat Erica's ervaring met de geneeskunde niet veel verder strekte dan het legen van po's en het aanleggen van thermometers.

'Kun jij haar trusten, I mean betrouwen?'

Michiel keek beledigd.

'Onze witte muizen zijn zelfs te vertrouwen,' zei hij.

'Ik meen,' verbeterde Jack, 'kan zij dragen de... well, responsibility?' Daar moest Michiel even over nadenken. Kon Erica verantwoordelijkheid dragen? Feitelijk deed ze nooit veel meer dan giechelen met haar vriendinnen, wat soms ontaardde in een uitzichtloze slappe lach, waar Michiel voor op de vlucht sloeg, en verder borstelde ze eindeloos haar haren voor de spiegel. Ze hielp moeder ook wel, overwoog hij. En de vorige dag had ze net aangekondigd dat ze zou worden ingeschakeld bij het een of andere hulpcomité – wat het precies was, wist hij niet. Maar verantwoordelijkheid dragen? Nee, dat zou ze vast niet kunnen.

'Nou,' zei Jack, 'dan het gaat niet door.'

'Wacht eens even,' opperde Michiel, 'als jij nou niet dat uniformjacket draagt, maar een gewoon jasje dat ik voor je zal meebrengen, en je houdt je tetter dicht, dan komt ze er niet achter dat je een Brit bent. Als ik haar dan ook nog blinddoek voordat we hier bij de jonge aanplant zijn, en ook weer bij het weggaan, dan is het veilig genoeg om het erop te wagen.'

'Wat is mijn tetter?'

'Je waffel.'

'Wat is mijn waffel?'

'Het ding dat je moet dichthouden.'

'Dus mijn tetter zijn mijn oors,' stelde Jack vast. 'Als jij praten ik best dichthouden mijn oors.'

Michiel lachte.

'Hé,' zei Jack, 'jouw sister doen precies wat jij zeggen? Engels sisters niet doen wat Engels broers zeggen.'

'Ik denk het wel,' zei Michiel luchtig.

En warempel, ze deed het. Uit nieuwsgierigheid en sensatiezucht misschien, maar ze deed het.

'Die blinddoek, da's natuurlijk wel avontuurlijk en zo,' zei ze, 'maar denk je niet dat het een beetje gek staat als ik met een blinddoek over straat ga?'

'Die krijg je pas om als we het bos ingaan.'

'Maar dat hoeft toch niet. Als we in het bos zijn, hou ik mijn ogen dicht en dan lopen we stijf gearmd, alsof we een vrijend paartje zijn, door de...'

'Ik vrij niet met m'n zuster,' zei Michiel.

'Ik denk dat je met niemand vrijt,' veronderstelde Erica. 'Wat doet dat er nou toe, joh. We doen toch net alsof! Wie is die gewonde eigenlijk?'

'Dat mag je niet weten. Ik bedoel, het heeft geen zin om het te weten. Hoe meer je weet, hoe gevaarlijker het is. Je moet me ook beloven dat je geen woord tegen hem zult zeggen.'

Michiels stem klonk heel ernstig. Volwassen, dacht Erica. Hij lijkt een volwassen man nu.

'Ik beloof het,' zei ze.

'Beloof je ook dat je je ogen dicht zult houden in het bos?'

'Ik zweer het.'

Ze stak twee vingers omhoog, maar daar raakte Michiel niet van onder de indruk. Hij had Erica zijn hele jeugd zien zweren, met wisselende betrouwbaarheid. Nou ja, hij moest het er maar op wagen.

'Heb je verbandspullen?' vroeg hij.

Erica knikte.

'Hoe kom je daar aan?'

'O, daar heb ik mijn geheime bronnen voor.'

'Oké, je hoeft niet alles te vertellen – doe ik ook niet.'

De volgende morgen bracht Michiel een zeer oud jasje, waar al eens een kip twaalf kuikens op had uitgebroed, naar de schuilplaats. 's Middags gingen ze samen op pad. Michiel nam de voorzorgsmaatregelen die hij zich tot een gewoonte had gemaakt. Ze reden een eind om, hij lette goed op wie hen onderweg zag, en hij ging het bos niet in voor hij goed om zich heen had gekeken en zeker wist dat er niemand in de buurt was. Erica vond het overdreven. Wat zou dat nou als iemand hen het bos in zag gaan? Enfin, Michiel was altijd al veel meer een pietje-precies geweest dan zij. Ze moest het in vredesnaam maar aan hem overlaten. Hij trok zich trouwens toch niks van haar gesputter aan.

In het bos verstopten ze hun fietsen tussen de struiken en gingen te voet verder. Bepaald houterig gaf Michiel zijn zuster een arm. In één opzicht is hij veertig, in een ander tien, dacht Erica. Van tijd tot tijd keek haar broer opzij om erop te letten of zij haar ogen wel dichthield. Ze deed haar best.

Na een tijdje fluisterde Michiel: 'Nu bukken. Juist, op je knieën. Je mag je ogen opendoen als je belooft recht vooruit te kijken naar mij. Ik ga je voor.'

In de tijgersluipgang bereikte de colonne van twee personen en twee tassen de schuilplaats. Michiel kondigde hun komst aan door gebrekkig een merel na te doen, wat werd beantwoord door het geluid van een vink dat net echt leek.

Toen Jack Erica zag, zei hij bewonderend: 'Boy!' waarmee hij tot uitdrukking wilde brengen dat hij haar niet een boy, maar juist heel erg een meisje vond.

Michiel gaf hem waarschuwend een schop tegen zijn gezonde been, waarna Jack zijn mond stijf dichthield. Met vaardige vingers begon Erica het verband los te maken. Toen Michiel dat een week eerder had gedaan, waren geregeld jammerklachten van Jack te horen geweest, maar nu gaf hij geen kik. Kun je nagaan hoe goed ze is, dacht Michiel met broederlijke trots. Hij had er geen idee van dat een man niet kermt in de aanwezigheid van een mooi meisje, en dat Erica een mooi meisje zou kunnen zijn, was helemáál nog nooit bij hem opgekomen.

Intussen was Erica met een watje, dat ze steeds bevochtigde met een doorzichtige vloeistof uit een flesje, de randen van de wond aan het schoonmaken. Daarna bestrooide ze het rauwe vlees met een desinfecterend poeder en bedekte het geheel met een steriel stuk gaas. Een schoon verband erom en Jack zag er piekfijn uit. In elk geval heel wat beter dan een halfuur tevoren. Hij keek echt gelukzalig en had kennelijk moeite om niks te zeggen.

'Hoelang zit dat been al in het gips?' vroeg Erica.

'Vijf weken,' zei Michiel. ''t Moet nog drie weken blijven zitten.'

Erica knikte deskundig.

'Ik zal het eraf komen halen,' zei ze. 'Trouwens, het verband moet minstens eenmaal per week vernieuwd worden. Volgende week kom ik terug.'

Jack knikte enthousiast.

'Afmars,' zei Michiel humeurig. Hij vond dat er veel te veel gepraat werd en de aankondiging van een vast bezoekschema stond hem ook niet aan. Daar zou hij thuis wel een hartig woordje met Erica over praten.

Ze vertrokken en zonder moeilijkheden bereikten ze het ouderlijk huis.

'Iedere week bezoeken, daar komt niks van in,' zei Michiel.

'Wat zei je?' vroeg Erica afwezig.

'Je gaat er niet nog eens heen.'

'Waarom niet? Heb ik het niet goed gedaan?'

'Jawel. Maar het is al gevaarlijk genoeg dat ik er geregeld naartoe moet.'

'Goed hoor. Jij bent de baas.'

Michiel keek haar onderzoekend aan. Er lag een ernstige trek op haar anders zo olijk gezicht. Ze voelde dat ze iets had gedaan wat de moeite waard was, iets belangrijks. En ze was er stil van dat haar 'kleine broertje', zoals ze hem vaak spottend noemde, dit soort dingen blijkbaar allang deed. Hij was echt een *kerel,* vond ze. Ze gaf hem een kneepje van verstandhouding in zijn hand en ging naar haar kamer. Soms is het toch niet gek om een zuster te hebben, dacht Michiel.

Het bleek dat de verzorging van zijn blessure Jack niet alleen lichamelijk, maar ook geestelijk had opgemonterd. Toen Michiel twee dagen later bij hem kwam, was hij ongemeen opgewekt en hij zei dat hij zich kiplekker voelde. Alleen was er één ding dat hem kwelde: zijn moeder. Kijk eens hier, zijn moeder woonde in Nottingham en hij was het enige wat ze nog had. Twee zusjes vóór hem waren bij hun geboorte gestorven, heel verdrietig was dat. *Hij* had het net gehaald, en of Michiel zich voor kon stellen dat zijn moeder hem als een kasplantje had proberen te beschermen tegen ieder zuchtje wind? Dat was ook de reden, waarom hij zich als vrijwilliger had opgegeven voor de luchtmacht – hij had er genoeg van om zo in de watten te worden gelegd; dát, en nog een andere reden.

'Welke?' vroeg Michiel.

Het Nederlands ging Jack nog niet zo goed af. Hij verviel weer in het Engels en vertelde: 'Mijn vader is gesneuveld in Duinkerken, in het begin van de oorlog, in 1940. Hij is met een bootje overgevaren om soldaten uit Frankrijk terug naar Engeland te brengen, je weet wel, toen de moffen als een trein door Frankrijk gingen en tienduizenden Engelse militairen klem kwamen te zitten.'

Michiel knikte.

'Bom op het bootje,' zei Jack. 'Voltreffer. Nooit meer iets van teruggevonden. Ik vond het erg treurig, maar mijn moeder is er praktisch kapot aan gegaan.'

'En nu is je moeder ongerust over jou.'

'Ongerust? Ik denk dat ze geen nacht slaapt, dat ze nog negentig pond weegt, dat ze volkomen grijs is geworden en dat ze de beklagenswaardigste stumper van Engeland is. Ze hebben mij natuurlijk als vermist opgegeven. Meestal betekent dat dat je de pijp uit bent, maar het komt ook voor dat er ineens een berichtje van zo'n vermiste komt, dat 'ie in krijgsgevangenschap zit.'

'Dus zit je moeder iedere morgen op de stoep van het postkantoor?'

'Nou ja, zulke berichten komen meestal binnen via het Rode Kruis, dus zal ze daar wel op de stoep zitten. Maar zie je, het gaat me toch aan m'n hart van dat goeie mens. Weet jij geen manier om haar een briefje te sturen?'

Michiel zuchtte eens diep. 't Was niet eenvoudig om de zorg voor een piloot op je nek te hebben.

'Ik zal erover denken,' zei hij. 'Hoe vond je m'n zuster?'

Jack klakte met zijn tong. 'Top,' zei hij. 'En m'n schouder voelt veel beter. Wat zonde dat ik niks tegen haar mocht zeggen.'

'Zo is het leven in de bezette gebieden,' zei Michiel filosofisch. 'Heeft 's konings dienaar verder nog wensen?'

'Nee hoor, dit is het beste hotel dat ik ken. Alleen m'n moeder, als je daar...'

'Ik zal erover denken,' herhaalde Michiel.

Hij liet zich op handen en voeten zakken en begon aan de terugtocht.

Potverdikkie, hoe kreeg hij een brief naar Engeland? Vanzelfsprekend was er sinds de bezetting geen postverkeer met Duitslands vijanden meer mogelijk. Hij kon natuurlijk contact zoeken met de ondergrondse. Hij vermoedde bijvoorbeeld dat Dries Grotendorst iets met de ondergrondse strijdkrachten te maken had, maar hij wilde zichzelf niet blootgeven. 'Een goede verzetsstrijder is eenzaam; hij is alleen met zijn taak en met wat hij weet,' herhaalde hij steeds bij zich zichzelf. Maar het beeld van de moeder van Jack op de stoep van het Rode Kruis liet hem niet los. Wat kon hij doen? Hij *wist* wel een methode, maar was die verstandig? Hij had er onmiddellijk aan gedacht, toen Jack over een brief naar Engeland begon: oom Ben. Die wist iets van ontsnappingsroutes – dan zou 'ie toch ook wel een briefje in Engeland kunnen krijgen? En toch... het betekende dat hij, na Erica, wéér iemand in vertrouwen moest nemen.

Maar ja, Jack hield aan, en al gauw kwam het moment dat hij door de knieën ging en zei: 'Schrijf het briefje dan maar. En zet er vooral niets in wat een aanwijzing kan zijn voor waar je bent.'

'Oké,' zei Jack, en hij schreef dat hij springlevend was en niet in handen van de Duitsers en dat hij een beetje gewond was maar niet erg en dat er voor zijn moeder geen enkele reden was om zich zorgen te maken en dat hij prima verzorgd werd door een aardige jongen (a fine young man) van zestien jaar. Dat laatste was erg vleiend, vond Michiel, maar het was nergens voor nodig, dus het moest er uit. En of Jack nou hoog of laag sprong (met het oog op het gips sprong hij helemaal niet), de brief moest over.

Twee dagen later verscheen oom Ben in huize Van Beusekom. Michiel lokte hem mee voor een wandelingetje en zei: 'U hebt me indertijd verteld over ontsnappingswegen voor Engelse militairen. Zou u een brief in Engeland kunnen krijgen?'

Oom Ben keek Michiel vorsend aan.

'Wat voor brief?'

'Van papier.'

Oom Ben grinnikte. Maar niet lang. Zijn gezicht werd ernstig. Hij pakte Michiel bij zijn bovenarm en zei: 'Je wilt me toch niet zeggen dat je je met ondergrondse activiteiten inlaat?'

'Nee. Een kennis van een broer van een kennis van me wil die brief verstuurd hebben. Kunt u ervoor zorgen of niet?'

'Wie is die kennis die een broer heeft?'

'Niet dus,' besloot Michiel, die onder geen voorwaarde uitgehoord wilde worden. 'Het wordt al aardig fris, vindt u niet?'

'Sakkerloot,' mompelde oom Ben, 'jij bent uit het juiste hout gesneden. Geef maar op, die brief.'

Michiel haalde hem uit zijn zak.

'Alstublieft.'

'Dank je.'

Verder werd er met geen woord over de transactie gesproken.

'De brief is op pad,' zei Michiel tegen Jack, en toen driftig: 'je verband is vernieuwd!'

Jack knikte aanminnig.

'Erica?'

'Yes.'

'Dat onbetrouwbare kreng. Hoe wist ze je te vinden?'

'Weet niet,' zei Jack. 'Waarschijnlijk zij deed niet haar ogen zo erg goed dichthouden, de andere keer. Ze vond nodig dat het verband weer nieuw worden en ze denken dat jij niet goed vinden. Daarom zij komen op eigen... op eigen...'

'Houtje,' bromde Michiel. 'Dus jullie hebben met elkaar gesproken ook?'

Jack keek schuldbewust.

'Ze weet dat je een piloot bent?'

'Ik ben bang zij heeft geraden. Zij niet achterlijk, you know. Mij Nederlands erg goed, maar het mogelijk dat enkel woordje...'

'Ach man, hou toch op. Om het andere woord dat je zegt is zo Engels als koningin Victoria. Nou, hou er maar rekening mee, dat ze je vandaag of morgen komen halen. Op zo'n manier zie ik geen kans om voor je veiligheid te zorgen. En Erica en ik, en mijn vader waarschijnlijk ook, gaan tegen de muur. Poef poef poef. Drie-nul.'

'Erica toch niks zeggen.'

'Nee, ze zegt niks. Maar ze is niet voorzichtig. Ze let niet op of iemand haar ziet. Ze maakt herrie. Ze laat sporen achter. Wanneer een man als Schafter haar het bos in ziet gaan, krijgt hij onmiddellijk achterdocht.'

'Wie is Schafter?'

'Ach, laat maar. Een NSB'er. Eén van de velen. Nou, ik zal Erica op haar duvel geven. Misschien hebben we geluk en redden we het nog.'

'Zei je dat de brief weg was?'

'Hij is weg. Veilig, dacht ik. Nou, tot kijk.'

'Bye.'

Michiel gaf Erica op haar duvel, dat wil zeggen, hij schold haar de huid vol, fluisterend, omdat zijn moeder in de kamer ernaast was. Nou moet je eens proberen iemand fluisterend uit te schelden. Dat is net zo iets als woedend de deur met een klap achter je dichtgooien en dan terug moeten, omdat je je handschoenen hebt laten liggen – je maakt jezelf een ietsje pietsje belachelijk. Michiel kon dan ook geen vat op zijn zuster krijgen. Ze keek schuldbewust naar de derde knoop van haar vest en ze zwoer iets te luchthartig dat ze het niet weer zou doen. En toen Michiel even zweeg om adem te halen, zei ze, dat de wond er beter uitzag en of dat niet fijn was. Nou ja, dan ben je uitgefluisterd, nietwaar?

Michiel drukte haar nog eens op het hart om tegen niemand, zelfs tegen hun eigen vader niet, iets te zeggen, en dat was dat. Een week of wat gingen voorbij zonder dat er iets bijzonders gebeurde, dat wil zeggen iets wat nog bijzonderder was dan de gebeurtenissen van iedere dag. En toen kwam oom Ben weer eens aanzetten; hij nam op zijn beurt Michiel mee voor een ommetje en vroeg: 'Zie jij die kennis van die broer van een kennis van je nog wel eens?'

Alles wat Michiel aan stekels had sprong overeind.

'Nee,' zei hij stug.

'Dâ's dan jammer,' zei oom Ben. 'Ik heb een brief voor hem van zijn moeder. Maar ja, dan kan die niet bezorgd worden. Wat zal ik ermee doen? Weet je wat, ik steek hem onder dit loszittend stuk schors. Dan ben ik hem kwijt.'

Hij stapte naar een boom toe en stak een brief onder de schors. Daarna keerde hij zich om en liep zonder verder een woord te zeggen terug naar huis. Stomverbaasd pakte Michiel de witte enveloppe. Er stond niets op. Wat was dit voor geks? Kon dit een brief voor Jack zijn? Tja, het kon natuurlijk. Het was mogelijk dat zijn oom een afzendadres op Jacks brief had geschreven en dat hij op die manier ook een antwoord had binnengekregen. Weet je wat, hij ging naar Jack toe.

Met nog meer voorzorgen dan anders ging hij op weg naar de schuilplaats. Veronderstel eens dat er in de enveloppe een onbeschreven brief zat en dat dit allemaal bedoeld was om hem stiekem te volgen naar Jacks schuilplaats? Dan zou oom Ben hem nu proberen te schaduwen. Ach kom, wat was hij achterdochtig. Oom Ben was een machtige kerel.

Inderdaad, dat was hij. Toen Jack de enveloppe had geopend, grijnsde hij breed van plezier. Er zat een dolblije brief van zijn moeder in, die hem al honderd keer dood had gewaand, en een kiekje van haar bij het tuinhekje, en Michiel nam in gedachten diep zijn pet af voor oom Ben, die dat in zo korte tijd voor elkaar had gekregen.

6

Een novembermorgen in 1944. 't Is doodstil in het dorp. Geen vliegtuig waagt zich in deze dichte, laaghangende bewolking. Auto's zijn er bijna niet meer. De hele nacht heeft het zachtjes geregend. Nu is het vrijwel droog, maar uit de kletsnatte bomen druppelt nog steeds water. Het is windstil. Grijze mistroostigheid, waar je maar kijkt. De straten glimmen van de nattigheid. Een zwarte kat rent huiverend de straat over en verdwijnt in een schuurtje.

Het dorp is in de greep van de angst. Wie niet per se hoeft, komt z'n huis niet uit. Een vrouw op klompen haalt toch nog een paar vergeten, doorweekte kledingstukken van de waslijn. Ze kijkt schuw om zich heen en verdwijnt zo gauw mogelijk weer naar binnen. Waar het vandaan is gekomen weet niemand, maar het gerucht is door het dorp geslopen. Gisteravond, of vannacht, wie weet het, heeft een patrouille in het bos het half vergane lijk gevonden van een Duitse soldaat. Hij moest al wel een week of zes dood zijn, zei men. Doodgeslágen. De Duitsers zouden eerst gedacht hebben dat hij was gedeserteerd, zei het gerucht. Nu wisten ze dat hij was vermoord.

Wat gaat er nu gebeuren? Hoe zullen de Duitsers wraak nemen? Er zijn vreselijke dingen bekend over moordpartijen die zijn aangericht na aanslagen op Duitse militairen. Wat is er waar van dergelijke verhalen? Hoe kunnen de mensen zich verdedigen? Ze *kunnen* zich immers niet verdedigen. Iedereen houdt zich stil. Niemand wil opvallen. Laag en dreigend hangen de zwarte wolken boven het dorp. De angst schuift er onderdoor, nestelt zich in de straten, in de tuinen, in de huizen. Roerloos wacht het dorp op de dingen die komen moeten.

Om tien uur, die ochtend, raasde een overvalwagen door de Vlank. Nu durven ze, dacht menigeen, nu de zware bewolking hen beschermt tegen de Engelse Spitfires. Met gierende remmen kwam de auto tot stilstand voor het gemeentehuis. Acht soldaten sprongen eruit. Met hun zware laarzen trapten ze de deur open en gingen naar binnen. Lang duurde het niet. Maar geen ácht kwamen er weer naar buiten; het waren er tien. Tussen de soldaten liepen, de hoofden geheven, de burgemeester en de gemeentesecretaris. Even maar waren ze te zien. Toen sloten zich de deuren van de overvalwagen achter hen. En voort ging het. Naar de dierenarts. Naar de notaris. Naar de rijke boer Schiltman. Naar de hoofdonderwijzer. Naar de dominee. Tien mannen werden uit hun huizen gehaald en weggevoerd naar de kazerne die lag aan de weg naar Zwolle. Niets mochten ze meenemen. Geen woord werd gezegd over wat hun te wachten stond. Hun vrouwen, die tussenbeide wilden komen, werden ruw aan de kant geduwd. Hoelang duurde de actie? Een uur? Hoogstens. Weg was de auto en de stilte van het dorp veranderde in een zenuwachtig gegons van pratende, huilende, gissende, troostende, bemoedigende, hysterische en machteloze mensen, die bij elkaar in- en uitliepen en niets, totaal niets konden doen.

Gijzeling, heette dat. Iemand die gestraft wordt als een ander iets doet, heet een gijzelaar. Onmiddellijk na het gevangennemen van de mannen maakte de Duitse kazernecommandant bekend, dat hij ze alle tien de volgende morgen zou laten ophangen aan de bomen op de Brink, als de dader of daders van de moord op de soldaat zich voor die tijd niet hadden gemeld.

Erica moest overgeven. Ze kokhalsde letterlijk van angst. Mevrouw Van Beusekom had donkere wallen onder haar ogen. Haar jukbeenderen leken meer uit te steken dan anders en door een zenuwtrek ging af en toe haar rechter mondhoek iets naar beneden. Maar ze huilde niet. Ze hielp Erica met een nat washandje en een handdoek. Ze gaf Jochem, die niet wist wat er aan de hand was, een mooi, vooroorlogs vel wit papier en een potlood, zodat hij kon tekenen. Daarna kwam ze naast Michiel staan, die in een stoel dof voor zich uit zat te staren.

'Ik ga erheen,' zei ze.

'Waarheen. Naar de kazerne?'

'Naar de commandant. Ik heb hem tweemaal ontmoet. Hij leek een vrij correcte kerel. Ik zal hem smeken deze zinloze moord niet te begaan.'

'Zal ik het doen?' vroeg Michiel.

'Nee, het lijkt me beter dat ik ga.'

Ze had gelijk, wist Michiel. Natuurlijk zou zijn moeder, als vrouw van de burgemeester, veel meer indruk maken dan hij als blaag van zestien.

Mevrouw Van Beusekom kleedde zich in haar donkerblauwe mantelpakje. Ze poederde de wallen onder haar ogen zo goed mogelijk weg en vertrok naar de kazerne. Michiel keek haar na. Hij had grote bewondering voor haar. Wat kon *hij* doen? Hij moest nadenken, rustig nadenken. Wie kon die soldaat om zeep hebben geholpen? Ja, hoe vond je dat nu uit. 't Kon wel gedaan zijn door iemand uit een ander dorp, door stropers of zo, die betrapt waren of uit schrik hadden gehandeld. Of zouden de jongens van het ondergrondse verzet... Dat was toch ondenkbaar. Zo stom waren ze niet. Iedereen wist dat het doden van een Duitser vreselijke maatregelen van de Wehrmacht uitlokte. Toch was het mogelijk dat de ondergrondse er iets van wist. Maar *hij* wist niet wie er in de ondergrondse zaten, behalve dan Dirk en Bertus, en die zaten gevangen. 's Kijken, wie zou er *waarschijnlijk* inzitten? Michiel liet de mannen van het dorp aan zijn geestesoog voorbijtrekken. Van Dries Grotendorst wist hij het bijna zeker. Maar Dries was zo'n onbesuisde. Meester Postma! Beslist. Michiel herinnerde zich de vierde klas van de lagere school, waar meester Postma met zoveel vuur en vaderlandsliefde had verteld over de Tachtigjarige Oorlog en de vrijheidsdrang van de Nederlanders. Zijn vader had wel eens spottend opgemerkt dat vrijheidsdrang niet alleen in Nederlandse harten huisde, maar toch... Meester Postma zat vast in de ondergrondse beweging.

Michiel trok zijn versleten jekker aan en ging erheen. Ach wat, sufferd die hij was. Meneer Postma was natuurlijk op school. Wachten dan maar tot twaalf uur. Het wérd twaalf uur en Michiel trof de onderwijzer bij het hek van diens voortuin.

'Dag meester,' zei Michiel bedrukt.

'Dag Michiel.'

Veel vrolijker klonk ook die groet niet. Ze wisten van elkaar dat ze dachten aan de burgemeester en de hoofdonderwijzer en de andere acht mannen.

'U weet bij geval niet wie die Duitser om zeep heeft geholpen?' vroeg Michiel.

Meneer Postma schudde het hoofd.

'En u weet bij geval ook niet wie het hoofd van de ondergrondse in de Vlank is?'

Weer schudde meneer Postma het hoofd, iets langzamer nu dan eerst. Michiel keek hem strak aan.

'Mocht u hem per ongeluk tegenkomen, wilt u hem dan een boodschap van me overbrengen?'

Meneer Postma zei niets.

'Wilt u hem zeggen dat de dader van die aanslag zich vandaag bij de Duitsers moet, beslist móét melden?'

Haast onmerkbaar knikte meneer Postma.

'Ik wens jou en je moeder allemaal sterkte,' zei hij. 'En nu moet ik er snel vandoor,' vervolgde hij met een heel klein lachje, dat je met een boel fantasie voor een lachje van verstandhouding zou kunnen houden. 'Dag Michiel.'

'Dag meester.'

Met een vlammetje hoop ter grootte van een glimworm liep

Michiel naar huis. Daar zat zijn moeder op een keukenstoel niks te doen. De commandant had haar niet te woord willen staan.

Traag kroop de dag voorbij. Het weer bleef miezerig. De stroom trekkers was minder groot dan anders. Hadden de mensen gehoord wat er gaande was en meden ze het dorp? Of zat het 'm in de motregen? Al met al passeerden er toch nog honderden de Zuiderzeestraatweg, die dag. Er was een oude man die een wagentje voorttrok. Een soort strandwagen op vier houten wielen, geschikt om een tweeling van anderhalf jaar in te vervoeren. Nu zat er geen tweeling in maar een zak aardappelen. Vlak voor het burgemeestershuis brak een wiel finaal in tweeën. De oude man was niet tegen de situatie opgewassen. Hij stond doelloos aan het wagentje te sjorren, alsof daardoor het wiel weer heel zou worden. Ten slotte ging hij op een paaltje zitten en keek mistroostig voor zich uit.

Michiel ging erheen. Zijn hoofd stond er niet naar, maar hij was er zo aan gewend geraakt trekkers te helpen, dat zijn benen er haast vanzelf naartoe liepen.

'Wiel gebroken,' stelde hij vast.

De oude man knikte.

'Zullen we het laten repareren?'

De man keek verrast op. Die mogelijkheid was nog niet bij hem opgekomen.

'Kan dat dan?' vroeg hij hoopvol.

'Misschien,' zei Michiel. 'Wacht even.'

Hij ging naar de schuur en zocht wat gereedschap. Zonder veel moeite kon hij daarmee het kapotte wiel van de as krijgen.

'Als u hier wacht, ga ik ermee naar de wagenmaker. Goed?'

De oude man knikte weer. Hij zag er niet uit alsof hij het buskruit had uitgevonden.

Michiel sprong op zijn fiets. De wagenmaker keek hem schuw aan toen hij de werkplaats binnenkwam. Alsof hij iemand was uit een sterfhuis. De man was direct bereid zijn andere werk te laten liggen en het wiel te repareren. Griezelig vond Michiel het. Het leek wel of hij een laatste wens had uitgesproken, zo voorkomend was de wagenmaker. Een halfuur later was het wiel klaar. Michiel fietste terug. Ineens realiseerde hij zich dat hij over de Brink reed. Zeven grote kastanjebomen stonden roerloos in de motregen. Genoeg zware zijtakken om tien mensen aan op te hangen. Maar dat kón toch niet. Het was toch ondenkbaar dat ze zijn vader, zijn deftige, knappe, *aardige* vader een touw om zijn nek zouden doen en... Dat mocht niet. Dat kón niet.

Het kon, wist Michiel. Het was eerder gebeurd, met minder reden.

In een Frans dorp hadden ze eens *alle* mannen opgehangen aan de lantaarnpalen, had hij gehoord. En nog vers in zijn geheugen stond het verhaal dat een van de trekkers, die een nacht bij hen had doorgebracht, had verteld. De SS had een inval gedaan in een huis in Gouda, of in Woerden, ergens in die buurt. Een vader, moeder en zes kinderen. Ze hadden wapens gevonden. Toen hadden ze het hele gezin mee naar de tuin genomen en voor de ogen van de moeder en de jongste kinderen de vader en de twee oudste zonen doodgeschoten.

Het gebeurde, vaker en vaker naarmate het zekerder werd dat de Duitsers de oorlog zouden verliezen. Michiel slikte. Hij had een gevoel alsof hij zijn tong moest uitspuwen. Met geweld rukte hij zijn ogen los van de kastanjebomen en ging verder. De oude man zat nog net zo op het paaltje. Er kwam een verheugde trek op zijn gezicht toen hij zag dat het wiel heel was.

'Hoe is het mogelijk,' mompelde hij.

'Met een paar krammen en een nieuwe ijzeren band.'

'Buitengewoon. Hoeveel krijg je van me?'

'Drie gulden.'

'Alsjeblieft. En twee kwartjes voor jou erbij.'

Daar moest Michiel toch even om glimlachen. Twee kwartjes verdiend. Stel je voor dat hij geld ging vragen voor de karweitjes die hij voor de mensen opknapte. Hoeveel zou hij dan moeten vragen voor het verzorgen van Jack? Maar hij bedankte gewoon en stopte het geld in zijn zak.

'U kunt weer rijden, meneer.'

De oude man legde even een hand op Michiels arm.

'Die aardappelen zijn voor mijn dochter en haar twee jongens,' prevelde hij. 'Ik hoop dat ze nog leven als ik thuiskom.'

'Waar woont u?'

'In Haarlem.'

Lopend naar Haarlem, met een karretje aardappelen. Honderddertig kilometer!

'Hoe oud bent u, meneer?'

'Achtenzeventig. God zal het je lonen, mijn jongen.'

Hij nam de trekboom van de wagen en slofte weg. Onder zijn kletsnatte hoedje was een rand grijs haar zichtbaar.

Michiel oogde hem na.

Wat is oorlog wreed, dacht hij.

Voor de tien gegijzelde mannen zullen die avond en nacht niet gemakkelijk zijn geweest, voor hun vrouwen en kinderen waren ze het evenmin. De Van Beusekoms hadden maar vier gasten. Twee achternichten van een jaar of dertig, ongetrouwd, een oudburgemeester die nog tegelijk met meneer Van Beusekom had gestudeerd, en een echte tante. De gasten voelden dat ze te veel waren en hielden zich muisstil. Michiel vulde de carbidlamp en stak hem aan. Daarna haalde hij melk. Ineens bedacht hij met schrik dat hij totaal vergeten was naar Jack te gaan. En de vorige dag was hij ook niet geweest. Nu kon het niet meer. Hij zou nooit voor achten binnen zijn en hij kon zijn moeder niet nog angstiger maken. Jakkes, wat vervelend nou. Om zijn ellende met iemand te delen, fluisterde hij tegen Erica: 'Ik ben vergeten naar Jack te gaan.'

'Dat geeft niet,' zei Erica zachtjes.
'Wat?'
'Ik ben geweest. Ik heb iets te eten voor hem meegenomen.'
Potverdikkie, die Erica. Ze deed precies wat ze wou.
'Heb je hem verteld van vader?'
'Nee. Hij heeft al genoeg zorgen aan zijn hoofd. Met zijn wond gaat het weer minder goed. 't Is ook te koud en te vochtig in dat hol. Hij ziet er slecht uit.'

Michiel vond dat zij groot gevaar liepen door Erica's bezoeken aan het hol. Een meisje dat geregeld het bos in ging, dat moest opvallen. Maar wat kon hij doen? Het was zijn eigen schuld. Hij had haar zelf in de zaak betrokken.

Lang kon hij zijn gedachten trouwens niet bij het probleem Jack houden. Dat *andere* wrong zich weer met geweld in zijn gedachten. Hij keek op de klok: tien voor negen. Het viel hem op dat zijn moeder niet stil kon blijven zitten. Steeds stond ze op om iets onbelangrijks te doen – een vaasje verplaatsen of zo. Om kwart over negen waren de gasten naar bed. Erica, die zich tot die tijd had goed gehouden, begon zachtjes te huilen, haar hoofd tegen moeders schouder. Moeder streek met haar hand over Erica's haar; ze wist niets te zeggen. Michiel brak wanhoopshoutjes in stukken, kleiner en kleiner, en hij wist het zelf niet.

'Hoe laat is het?'
'Kwart voor tien.'
Ze zwegen.
Erica stond op en ging naar de keuken om opnieuw voor ieder een kop surrogaatkoffie te maken.
'Ik wou dat ik Jochem was,' zei Michiel.
Jochem lag al uren vredig te slapen.
'Wat moet vader nu doormaken,' fluisterde mevrouw Van Beusekom.
'Vader en de negen anderen.'

'Denk je dat hij zal bidden?' vroeg Erica.

Moeder knikte langzaam.

'Ik denk dat de meest verstokte ongelovige onder deze omstandigheden wel zal bidden. *Ik* doe tenminste bijna niets anders.'

'Ik ook,' zei Erica.

Michiel zweeg. Eerlijk gezegd had hij aan bidden nog niet gedacht. Door zijn hoofd schoten allerlei wilde mogelijkheden, of liever onmogelijkheden, om zijn vader te bevrijden. Hij stelde zich voor dat hij zich zou verkleden in een Duits uniform om zo de kazerne binnen te dringen. Hij zou rechtstreeks naar de commandant gaan en hem, met de loop van een revolver tegen de slaap, dwingen om telefonisch opdracht te geven de gevangenen los te laten. Ja ja, hocus pocus pilatus pas, ik wou dat ik een Duits uniform en een revolver had. En al hád 'ie die... Ach wat, nonsens. Hij kón immers niets doen. Was oom Ben er maar. Misschien zou die een oplossing weten. Zou hij oom Ben op kunnen sporen? Nog voor morgenochtend zeker. Terwijl het verboden was na acht uur 's avonds op straat te zijn en er allang geen telefonische verbindingen meer waren, behalve voor de moffen natuurlijk, en terwijl bovendien niemand ooit wist waar oom Ben uithing. Uitgesloten.

Bidden? Hij wilde liever iets doen! Was bidden iets doen of was het dat niet? Hij keek naar zijn moeder en naar Erica. Beiden zaten met de handen in de schoot in het vuur te staren. Hij probeerde zijn gedachten tot rust te laten komen, zich te concentreren op wat hij vroeger op de zondagsschool had geleerd. Zou God nou zitten luisteren naar wat bijvoorbeeld Erica Hem had te vragen? De bomen op de Brink schoven tussen hem en God. Hoe zou het gedaan worden? Zou zijn vader op een kistje moeten klimmen en zouden ze dat kistje onder hem wegtrekken? Dat kon niet. Dat kon God niet toelaten. Kon God niet toelaten? Moest hij dan toch bidden?

Michiel stond op en ging bij de achterdeur naar de lucht staan kijken. Die was opgeklaard. De sterren stonden koud en onpersoonlijk aan de hemel. Hé, daar viel er een. 'Mijn vader veilig weer thuis,' zei Michiel vlug. Als er een ster viel, mocht je immers een wens doen?

Als die soldaat nu eens door een vallende boom was geraakt? Of door de bliksem? Misschien had hij wel een hartaanval gekregen. O nee, dat kon niet, zijn hoofd was ingeslagen. Maar die vallende boom kon wél. Zou de commandant aan zo'n mogelijkheid denken? Michiel holde naar zijn kamertje, zo snel als dat in de duisternis kon. Hij stak een kaars aan en zocht een stuk papier. In zijn beste Duits (en dat was niet al te best) schreef hij:

Hooggeachte Commandant,
U hebt medegedeeld dat u morgenochtend tien mannen gaat ophangen als dan niet bekend is wie de Duitse soldaat heeft gedood. Kan die soldaat niet getroffen zijn door een vallende boom? Ik weet nog dat het een week of zes geleden vreselijk heeft geonweerd. Misschien heeft de bliksem een boom getroffen en de boom de soldaat. Wilt u ons alstublieft een beetje meer tijd gunnen om dit goed uit te zoeken?
Met de meeste hoogachting,
Michiel van Beusekom

Hij deed de brief in een enveloppe en sloop door de nacht naar het huis van de familie Knopper. Het raam van de woonkamer was donker. Verduisterd met zwart papier, wist Michiel. Zachtjes tikte hij tegen de ruit. Even later ging de voordeur op een kier open en mevrouw Knopper fluisterde gejaagd: 'Dirk?'

'Nee, nee, ik ben het,' zei Michiel.

'O, ben jij het,' Het klonk teleurgesteld. 'Ik dacht even...'

'Neem me niet kwalijk.'

'Ach nee, mijn jongen. Jullie zitten natuurlijk ook vreselijk in de zorg, net als wij. Wat kan ik voor je doen?'

'Ik heb een brief voor de commandant van de kazerne. U hebt toch officieren ingekwartierd? Zou u niet willen vragen of zij de brief voor me willen bezorgen?'

'Ik weet het niet,' weifelde mevrouw Knopper. 'Wanneer moet de commandant die brief hebben?'

'Vóór morgenochtend. Vóórdat ze morgenochtend...'

'Geef hem maar. Ik zal het proberen. Als je even wacht...'

Ze verdween naar boven. Michiel hoorde in de verte wat gepraat en daarna kwam ze weer beneden.

'Hij zal het doen. Hij gaat morgenochtend om zes uur naar de kazerne.'

'Dank u wel, mevrouw Knopper. Hebt u niets van Dirk gehoord?'

'Geen woord.'

'Goedenavond.'

'Slaap wel, Michiel.'

'Waar ben je geweest?' vroeg mevrouw Van Beusekom. Michiel vertelde wat hij had gedaan. Zijn moeder streek over zijn korte haar. 'Moge het helpen. Kom, jongens, we moesten proberen wat te slapen.'

'Onmogelijk,' zei Erica.

'Laten we toch wat gaan liggen. Slaap je niet dan rust je toch.' Ze gingen naar hun kamers. Een halfuur later lagen ze alle drie in bed en staarden met wijdopen ogen in de duisternis.

Het gerucht moest van Zwanenburg gekomen zijn. Zwanenburg had een boerderij pal naast de kazerne. Hij had het gezegd tegen de melkrijder en de melkrijder had het aan wel tien mensen gezegd, op zijn tocht langs de melkbussen. Al gauw wist het hele dorp het. Om half zeven, die ochtend, waren er schoten gehoord in de kazerne. Een heleboel tegelijk, zoals wanneer een executiepeloton een salvo afvuurt.

Michiel en zijn moeder en Erica liepen met gezichten bleek van de doorwaakte nacht en van de spanning, door het huis. Ook zij hadden het gerucht gehoord.

'Ik ga weer naar de kazerne,' zei mevrouw Van Beusekom. 'We moeten zekerheid hebben.'

Het bleek niet nodig te zijn.

Vóór ze weg was, om acht uur, plakten soldaten een bekendmaking op de muur van de kerk. Er stond op dat die ochtend vier van de tien gijzelaars waren doodgeschoten. Indien de volgende morgen de dader van de moord op de Duitser niet bekend was, zouden de andere zes volgen. De vier ongelukkigen waren: de gemeentesecretaris, de dierenarts, het hoofd van de school, en een meneer uit de stad, die na zijn pensionering in de Vlank was komen wonen. De vrouwen van deze mannen kregen keurig een brief thuisbezorgd, met veel officiële stempels. Daarin werd hun correct de dood van hun man bevestigd. De administratie van het Duitse leger was perfect. En niet alleen dat. 's Middags werden de dode lichamen van de mannen thuisgebracht in doodkisten. Het was alsof je in het dorp een dreigend gegrom hoorde, de onderdrukte kreet van een woede, die ieder ogenblik tot uitbarsting kon komen. Geen Duitser waagde zich die dag alleen op straat en vooral de NSB'ers en landverraders bleven angstvallig binnenshuis. In de huizen van de families van de zes overgebleven gijzelaars had de angst de mensen lamgeslagen. Ze waren moe. Ze konden niet meer ordelijk nadenken.

Iedere dag gaat voorbij, ook deze drieëntwintigste november 1944. Opnieuw een slapeloze nacht, nu soms afgewisseld door korte perioden van een soort bewusteloosheid, veroorzaakt door uitputting.

Om half zeven was Michiel op. Hij deed de verduisteringsgordijnen omhoog. Het was nog donker, maar toch kon hij de straat zien. Terwijl hij de kachel aanmaakte, keek hij af en toe naar buiten. Wat was dat? Er liep een groepje mannen, donkere silhouetten in het vage licht. Die voorste, die zo gebogen liep, was dat niet de rijke Schiltman, één van de tien gijzelaars?

Michiel stormde naar buiten, naar de mannen toe. Het wás Schiltman en de notaris en de belastinginspecteur en, en... waar was zijn vader?

‘Waar is mijn vader,’ schreeuwde hij, terwijl hij Schiltman bij een arm greep.

‘Jongen, je laat me schrikken. Wie ben jij ook weer?’

‘Dat is Michiel van de burgemeester,’ zei notaris Van de Hoeven aarzelend.

‘Van de burgemeester?’

Waarom zei Schiltman dat nou ineens zo zachtjes?

‘Waarom is mijn vader niet bij jullie?’

Michiels stem sloeg over van drift.

‘Ze hebben hem doodgeschoten, nog geen uur geleden. Wij mochten met z'n vijven naar huis, maar hem schoten ze dood, de moordenaars.’

Michiel liet de arm van Schiltman los. Zwijgend draaide hij zich om en liep naar huis. Daar waren zijn moeder en Erica. Ze hadden zijn geschreeuw gehoord en kwamen hem met bange ogen tegemoet.

Kijk eens, zullen de Duitsers gedacht hebben, als we ze alle zes doodschieten, komt het dorp misschien in opstand. Ze hadden de woede op de gezichten de vorige dag wel gezien. Laten we er daarom vijf naar huis sturen om de mensen kalm te houden. Om onze eer te redden schieten we de burgemeester, die we toch al niet vertrouwen, neer. Dan kunnen we een andere burgemeester aanstellen die meer naar onze smaak is. Dat die burgemeester toevallig een gezin had, dat hij nog een zoontje van zes jaar had, die het verder zonder vader zou moeten doen, wat deed het ertoe? Het was immers oorlog.

7

Het zal een week na de begrafenis zijn geweest. Michiels ogen lagen wat dieper dan vroeger. Was hij magerder geworden of kwam het doordat hij zijn kiezen harder op elkaar beet? Er lag een vastberaden trek op zijn gezicht. Hij voelde zich nu een beetje het hoofd van het gezin, ook al was zijn moeder er nog en was Erica ouder dan hij. Gek, hij was *minder* bang voor de Duitsers dan vroeger. Hij was vastbesloten om alles te doen wat in zijn vermogen lag om deze vreselijke oorlog in het nadeel van de Duitsers te helpen beëindigen, zolang hij daarmee geen mensenlevens op het spel zette.

Geen directe aanvallen op soldaten of op Duitse eigendommen. Dat was wel duidelijk. Wél steun aan hen die door de vijand werden gezocht en vervolgd. En daarom had hij besloten dat Jack de oorlog zou overleven, als het aan hem lag tenminste.

Goed, het zal een week na de begrafenis van zijn vader zijn geweest, toen hij zijn gewone bezoek aan het hol bracht. Voorzichtig als altijd sloop hij naderbij. Maar toen hij de ingang van het hol in het oog kreeg, zag hij daar niet als gewoonlijk de Engelse piloot, met speurende ogen rondkijkend, het pistool in de linkerhand. Gek, het was nog nooit gebeurd dat Jack hem niet hoorde aankomen, hoe zachtjes hij ook deed.

'Psst,' zei hij.

Geen antwoord. Wat zou er zijn? Zou Jack gepakt zijn en sloop hij nu regelrecht naar een val? Voorzichtig gluurde hij naar binnen. Tot zijn opluchting enerzijds, zijn ergernis anderzijds, zag hij dat Jack en Erica, onbewust van het bestaan van de rest van de wereld, kusjes zaten uit te wisselen.

'Wat is er dan met jou,' vroeg Jack teder. 'Jij ziet zo bleek en bedroefd uit laatste tijd.'

'Niets, niets,' zei Erica. 'Je hoeft je nergens zorgen over te maken,' en ze voegde eraan toe: 'Je bent lief.'

Het geknuffel begon opnieuw.

'Hm!' hoestte Michiel. 'Ik heb het gevoel dat ik stoor.'

De twee gelieven sprongen op.

'Waakzaamheid gaat voor het meisje,' zei Michiel alsof hij in de kruitdamp vergrijsd was.

'Neem me niet kwalijk,' grijnsde Jack. 'Ik hou van haar, you know.'

'Daar lijkt het wel op,' zei Michiel. 'Het stomste wat ik in deze oorlog tot nu toe heb gedaan is Erica hier brengen.'

'Waarom? Waarom mag ik niet van hem houden? Wat heb je tegen hem?'

'Ik heb niets tegen hem, sufferd. Ik heb er alleen iets tegen als jij en hij en ik dezelfde weg gaan als vader.'

'Wat is dat voor een weg met je vader?' vroeg Jack.

'Vorige week doodgeschoten als gijzelaar,' zei Michiel.

Jack schrok er hevig van.

'Doodgeschoten? Vorig week? How terrible. Arm schat. Daarom jij zo bedroefd.' Hij trok Erica weer tegen zijn gezonde linkerkant. Michiel vond het een vervelende toestand, maar hij had genoeg verliefde paren gezien om te weten dat hij gemakkelijker kon proberen om de Maagdenburger halve bollen uit elkaar te trekken dan Erica te verhinderen hier te komen.

'Nou ja,' zei hij, 'dan moet je in vredesnaam maar af en toe Jack z'n eten brengen.'

Dat was Erica toch iets te machtig.

'Jij snotneus,' zei ze, 'weet je dat je spreekt tegen je oudere zuster? Je bent de baas niet over me. Eerder omgekeerd, zou ik zeggen.'

'Ik heb de verantwoordelijkheid,' zei Michiel rustig.

'Dat is zo, sweetheart, zo lang Dirk gevangen je broer heeft leiding van dit verzetsgroep.'

‘Oké,’ zei Michiel, ‘jij komt hier tweemaal in de week en ik eenmaal, als je belooft dat je erg voorzichtig zult zijn – nee, als je je precies houdt aan wat ik zeg. Steeds langs een andere weg het bos in gaan, steeds een ander tijdstip kiezen, enzovoorts.’

‘Ik vind dat je de voorzichtigheid overdrijft, maar goed, ik zal doen wat je zegt.’

‘Good girl,’ zei Jack, wat betekende dat ze een brave meid was.

Daarna keken Jack en Erica alsof Michiel best gemist kon worden en omdat die er geen behoefte aan had zich te veel te voelen, wierp hij zich op zijn buik en begon in de tijgersluipgang aan de terugtocht.

Het was zondag. De trekkersstroom was stilgevallen. De straatweg was leeg. Michiel zat ernaar te kijken vanuit de erker. Er werd weinig gesproken bij hen thuis sinds die donderdagmorgen. Niemand had er zin in. Alleen Jochem kwetterde er nog lustig op los. Als je goed luisterde, kon je een zacht gebrom horen dat langzaam sterker werd. Daar kwamen ze weer, de bommenwerpers, die hun lading dood en schrik gingen uitgooien boven de Duitse steden.

‘Lekker,’ gromde Michiel. ‘Ik hoop dat ze goed raak gooien.’

‘Denk eens aan al die arme, onschuldige vrouwen en kin...’ begon zijn moeder. Ze dacht ineens aan een gesprek over hetzelfde onderwerp, met vader er nog bij. ‘Zij zijn begonnen,’ had hij gezegd. ‘Eigen schuld.’ Voelde zij nu ook de wraakgevoelens die je hard en onverschillig maakten tegenover het lijden van vrouwen en kinderen, als dat *Duitse* vrouwen en kinderen waren? Ze weifelde.

‘Kijk nou eens,’ riep Michiel ineens.

Ze kwamen allemaal toelopen en keken uit het raam. In de verte, een kilometer verderop langs de straatweg, zag het ineens zwart van de mensen. Een mierenhoop die dichterbij kwam en die steeds uitbarstinkjes had in de richting van de tuinhekken. En de tuinen vulden zich met mensen die vanuit de huizen naar buiten kwamen. ‘Wat is daar aan de hand?’

Het verschijnsel kwam naderbij. Ook de Van Beusekoms gingen naar buiten. En toen zagen ze het: mannen, duizenden mannen, die in rijen van vijf, zes, in hun richting liepen. Ze hadden koffertjes en tassen bij zich. Talloze Duitse soldaten, het geweer aan de schouder, zwermden om hen heen en bewaakten hen. Maar ze konden niet verhinderen dat de mannen naar de tuinen liepen en het voedsel aannamen, dat de dorpelingen hun aanreikten.

'Die mannen zijn uitgehongerd,' zei mevrouw Van Beusekom. 'Kijk eens hoe ze de boterhammen weggrissen. Zien jullie die man, daar rechts, achter die lange, met die groene sjaal. Hij raapte net een boterham op uit de modder en zette zo zijn tanden erin.'

'Waarom hebben die mensen zo'n honger, mama?' vroeg Jochem.

'Ik weet het niet. Kom, jongens, laten we alles halen wat we aan eetbaars in huis hebben. Dan eten wij vandaag maar eens niet.'

Ze gingen naar binnen, sneden het brood dat in de broodtrommel voorradig was, haalden appels van zolder, melk uit de kelder, verdeelden twee worsten in partjes, alles met een reuze vaart, en gingen met die voorraad weer naar buiten. De stoet was hun huis intussen al aan het voorbijtrekken. Toen ze het voedsel zagen zwermden de mannen onmiddellijk naar hen uit. In een oogwenk was alles verdwenen.

'Waar komen jullie vandaan?' vroeg Michiel aan een jongen die hoogstens twee jaar ouder was dan hij zelf.

'Uit Rotterdam. Razzia. Ze hebben alle mannen opgepikt die ze konden vinden. Hupsakee, mee, naar Duitsland om te werken, zeggen ze.'

'Doorlopen,' schreeuwde een Duitser, en de jongen werd opgenomen in de massa.

'Hoe ver is het nog van hier naar de kazerne?' vroeg een oudere man.

'Een kilometer of twee.'

'Zóver nog.'

'Dat is toch vlakbij?'

'We komen uit Rotterdam. Vier dagen lopen, zonder eten. Ik kan niet meer. Ik haal het niet. Ik heb een maagzweer, ik kan geen stap meer zetten.'

Maar hij kon nog. Daar ging hij alweer, rieten koffertje in de hand. Tientallen Rotterdammers ontsnapten tijdens die tocht door het dorp. Ze sprongen weg achter bomen, verscholen zich achter de haag van toeschouwers, doken in eenmansgaten. Meneer Koster, een gepensioneerde houtvester, die al lang in de Vlank woonde, maakte er een sport van. Af en toe rukte hij een van de Rotterdammers de koffer uit de hand en snauwde: 'Kom naast me staan met je onnozelste gezicht.' De bewakers kwamen dan op hém af, omdat hij de koffer vast had.

'Ach was, Mensch, ich lebe hier,' gromde meneer Koster. 'Wij hebben ook koffers, wat dacht je wel.'

Ze hadden geen tijd om het uit te zoeken en lieten het maar zo. Meneer Koster stuurde de eigenaar van de koffer met die koffer het huis in en koos een volgend slachtoffer voor zijn bevrijdingsdrift. Nou, slachtoffer... beschermeling kun je beter zeggen. Zo bevrijdde hij er vijf. Een mooie prestatie.

Zesduizend Rotterdamse jongens en mannen trokken zo, uitgeput door de lange mars, door het dorp en verdwenen in de kazerne aan de spoorlijn om er de nacht door te brengen. Later bleek dat ze verscheidene dagen zouden blijven.

Die nacht werd Michiel wakker omdat hij iets in huis meende te horen. Verbeeldde hij het zich? Het was weer stil. Nee, wacht eens, werd daar niet zachtjes beneden een deur dichtgedaan? Was er iemand op? Zeker zijn moeder of Erica die even uit bed was. Met een ruk gooide hij zich op zijn andere zij om weer te gaan slapen. Maar hij kon de slaap niet vatten. Iets in hem zei dat er wat ongewoons aan de hand was. Inbrekers?

Resoluut stapte hij op het koude zeil. Je bent de man in huis of je bent het niet. Snel, maar zonder gerucht te maken, liep hij naar beneden. De derde tree van onderen overslaan, want die kraakt. Juist. Hij bleef staan en luisterde. Uit de kamer kwam een zacht gebrom van mannenstemmen. Wel hier en gunder. Met kloppend hart maar zonder te aarzelen, gooide hij de huiskamerdeur open.

In de kamer brandden vier kaarsen. Er zaten twee vreemde mannen, een jonge en een oudere. Michiels moeder zat op de grond en verbond de voeten van de oudste man. Dat was hard nodig, zag Michiel in een oogopslag. De voeten waren rauw en ontveld. Het was duidelijk dat de mannen zich wezenloos schrokken toen de deur openging. De jongste vloog overeind en rende naar de tuindeuren. De oudste zat verstijfd van schrik recht overeind en kon even geen ademhalen.

'Er is geen reden voor paniek, heren,' zei Michiels moeder. 'Dit is mijn oudste zoon. Hij is geen vriend van de Duitsers.'

'Bepaald niet,' zei Michiel.

'Deze heren, Michiel, zijn vannacht ontsnapt uit het kamp. Ze zijn naar het dorp geslopen en hebben op goed geluk bij ons tegen de ruiten getikt.'

'Heel zachtjes,' zei de oudste man verontschuldigend.

'Ik sliep niet, u hoeft zich niet te verontschuldigen.'

'Wij brengen u in gevaar door onze aanwezigheid.'

'Niet zo'n groot gevaar, lijkt me. U bent toch alleen tewerkgestelden, u bent toch geen politieke gevangenen?'

De mannen zwegen.

'Was het moeilijk om te ontvluchten?' vroeg Michiel.

'Dat ging nogal,' zei de jonge man. 'Er zijn te veel gevangenen en te weinig bewakers. Het kamp is niet met prikkeldraad afgezet, alleen met gaas. Maar ja, onze Duitse vrienden hebben andere methoden om ontvluchten onaantrekkelijk te maken. Aan het eind van de middag, toen we nog maar net binnen waren, klom een man over het gaas en rende weg langs de spoorlijn. Hij had pech. Hij liep in de armen van een patrouille. Weet je wat ze hebben gedaan? Ze hebben hem een schop gegeven.'

'Een schop? Onder zijn achterwerk?'

'Was het maar waar. Een spade, bedoel ik. Hij moest een gat graven, in de berm, net buiten het kamp. Toen het klaar was, moest hij op de rand gaan liggen. Wij konden het duidelijk zien. Het was afschuwelijk. De ss-officier, die er al die tijd bij had gestaan, trok zijn revolver en schoot hem in zijn nek, achteloos, alsof hij een mug doodsloeg. Daarna duwde hij hem met zijn voet in het gat. Hij liet twee van ons komen om het gat dicht te gooien. "Zo doen we met mensen die onze gastvrijheid niet op prijs stellen," zei hij en liep weg, zwiepend met een stokje.'

Mevrouw Van Beusekom wreef met de achterkant van haar hand langs haar ogen.

'En toch hebt u durven ontvluchten?' zei Michiel.

'Vannacht, in het donker. Het was gemakkelijk om over het gaas te klimmen.'

'Ook voor uw, eh, is het uw vader?'

'Inderdaad. Vergeef me dat we ons nog niet hebben voorgesteld. Ik heet... (hij aarzelde even) ik heet De Groot, en dit is mijn zoon David.'

'Ik ben mevrouw Van Beusekom en dit is Michiel.'

'Aangenaam kennis te maken,' zei meneer De Groot.

'Het klimmen was voor mijn vader niet zo gemakkelijk,' vatte David de draad van het gesprek weer op. 'Maar hij heeft het toch voor elkaar gekregen.'

'U hebt een groot risico genomen,' zei mevrouw Van Beusekom nadenkend. 'Had u er zoveel belang bij om te ontvluchten dat u uw leven ervoor op het spel wilde zetten?'

Michiel keek de heren De Groot aandachtig aan. Beiden waren vrij klein, de jongen was donker, de vader grijs. Bij de oude meneer De Groot meende hij een licht accent te bespeuren.

Mevrouw Van Beusekom borg haar pleisters en gaasjes weg.

'Zo kunt u er weer een beetje beter tegen, meneer Polak, eh... De Groot, bedoel ik,' zei ze.

Beide mannen kleurden hevig. Ook Michiel kreeg er een kleur van. Polak is een typisch joodse naam. Blijkbaar dacht zijn moeder dat ze joden waren, en liet ze dat merken via een opzettelijke verspreking. Maar ach, natuurlijk, ze had gelijk. De mannen zagen er joods uit en het verklaarde ook dat ze hadden durven ontvluchten. Ze moesten wel. Wat stond hun te wachten als de Duitsers erachter kwamen dat ze joden waren?

De oudere meneer keek mevrouw Van Beusekom hulpeloos aan.

'U hebt het begrepen,' stamelde hij.

'Dat was niet zo moeilijk. U ziet er niet bepaald uit alsof u De Groot heet.'

'We heten Kleerkoper. We zullen onmiddellijk vertrekken. Door onze aanwezigheid bent u in groot gevaar, in levensgevaar. Kom, David.'

Ze stonden beiden op en liepen naar de deur.

'En waar had u gedacht naartoe te gaan, meneer Kleerkoper,' vroeg mevrouw Van Beusekom rustig.

'Naar Overijssel. Daar kennen we een familie, die echt De Groot heet. We kunnen er onderduiken.'

'Hoe had u gedacht de IJssel over te steken? Iedere brug, voor zover hij nog intact is, en ieder veer wordt gecontroleerd.'

'Ik weet het niet,' zei meneer Kleerkoper en hij keek weer hulpeloos, maar toch anders dan eerst. 'We zullen er iets op vinden, David en ik.'

'Als u nu eens rustig ging zitten. Vier weten meer dan twee. Maar vertelt u eerst eens hoe u kon worden opgepakt op straat. Lopen er in dit vijfde oorlogsjaar nog joden op straat? Ik dacht dat alles wat jood was óf in een concentratiekamp zat opgesloten óf zich zorgvuldig verstopt had in een kelder of op een zolderkamertje.'

'Tja, dat kwam door een vervelende samenloop van omstandigheden,' zei meneer Kleerkoper. 'Als het u interesseert, wil ik het graag vertellen.'

'Natuurlijk interesseert het me,' antwoordde mevrouw Van Beusekom. 'Het is pas half vier. Ik ben één en al oor.'

Toen ging meneer Kleerkoper zitten en vertelde de volgende trieste geschiedenis.

De geschiedenis van de familie Kleerkoper

Jitzchak Kleerkoper was in 1890 in Duitsland geboren. Hij heette toen nog Rosenthal. Hij was een Duitser. Hij voelde zich ook Duitser. 't Was waar dat hij ook jood was, maar dat voelde hij niet als iets bijzonders. Er waren katholieken en protestanten en daarvan had je weer allerlei soorten, nou, en hij was een jood, basta. In de Eerste Wereldoorlog, die duurde van 1914 tot 1918, vocht hij mee in het Duitse leger. Er kwam een dag dat hij in een benarde positie zat, maar hij hield manmoedig stand en redde zelfs een jonge officier het leven. Hij kreeg daarvoor het IJzeren Kruis, de hoogste oorlogsonderscheiding die in Duitsland wordt verleend. Kort na de oorlog leerde hij een Nederlands meisje kennen. Lotte Kleerkoper heette ze, en ze was ook van joodse afkomst. Ze trouwden, en hoewel ze in Duitsland gingen wonen, leerde ze hem goed Nederlands spreken. Twee kinderen kregen ze, David en Rosemarie.

In de jaren dertig, toen Hitler aan de macht kwam, werden de joden in Duitsland meer en meer gesard en uitgescholden. In de kranten werd geschreven dat alles wat slecht ging de schuld was van de joden en dat ze eigenlijk het doodschoppen nog niet waard waren. Jitzchak zag het met stijgende ongerustheid, met stijgend onbegrip ook, gebeuren. En toen, in 1938, kwam de Kristallnacht. Het was een nacht, waarin overal in Duitsland, in ieder geval in de grote steden, bij de joden de ruiten werden ingegooid, de bezittingen vernield, de banden van de auto's doorgesneden, enzovoorts. Ook bij de Rosenthals, die een grote meubelzaak hadden, gebeurde dit. De grote spiegelruiten gingen aan diggelen, de bekleding van de bankstellen en stoelen werd stuk gesneden, de gladde tafelbladen werden bekrast. Deze gebeurtenis deed Jitzchak besluiten Duitsland voorgoed te verlaten. Niet om de schade die ze hadden geleden. Niet omdat dit had kunnen gebeuren, maar omdat het Duitse volk, hun buren en vrienden, niet protesteerden. Omdat er geen schande werd gesproken. 'Daarom is onze zaak in Duitsland hopeloos,' zei Jitzchak en hij nam zijn familie mee naar Nederland. Zo moedeloos was hij over Duitsland, dat hij zijn Duitse naam afzwoer en de Nederlandse van zijn vrouw aannam: Kleerkoper.

Helaas, op 10 mei 1940 trokken de Duitsers ons land binnen en ze begonnen onmiddellijk ook de Nederlanders, die toevallig van joodse afkomst waren, te treiteren en te sarren. Eerst mochten ze niet in treinen en bussen en bioscopen en zo, en ze moesten een gele ster op hun jas dragen waar 'Jood' op stond. Later werden ze gearresteerd en in concentratiekampen gestopt en ten slotte zonder pardon vermoord. Gewoon, als vee in een slachthuis. Bij duizenden. Bij miljoenen. Je durft het alleen maar te fluisteren. Waarom werden al die mensen vermoord? Omdat ze van joodse afkomst waren. Dat was de enige reden. Je verstand staat erbij stil.

Natuurlijk probeerden de joden zich voor de Duitsers te verbergen. Ze *doken onder*. Ook Jitzchak begreep dat zijn gezin groot gevaar liep en hij maakte een afspraak met meneer Voerman, een goede vriend van de familie, dat zij met z'n allen in het huis van de Voermannen op zolder zouden gaan wonen. Het was te laat. Op een maandagavond, toen hij en David voor een laatste bespreking naar de familie Voerman toe waren, deden de Duitsers een inval in zijn huis en namen Lotte en Rosemarie mee. Jitzchak maakte zich weinig illusies. De kans dat hij hen terug zou zien, was bijna nul. Zo betrokken alleen Jitzchak en David de zolderkamer van meneer Voerman, maar het haar van Jitzchak was grijs geworden, grijs als de barakken in het concentratiekamp van Dachau.

Ongeveer een week geleden was er huiszoeking geweest bij de familie Voerman. De Duitsers hadden de geniepige gewoonte om onverwacht 's nachts bij mensen aan te komen, hard op de deur te bonzen en het huis te doorzoeken. Jitzchak Kleerkoper hoorde onder zich het gedreun van de soldatenlaarzen. Hij hoorde het hem zo bekende Duitse gesnauw en de beverige stem van zijn gastheer, die zei dat hij niets te verbergen had. Hij wist dat zij gevonden zouden worden, daar was geen twijfel over mogelijk. Toen deed hij iets zeer stoutmoedigs. Hij trok een peignoir aan, stak zijn blote voeten in pantoffels en ging naar beneden. Op de trap begon hij al te schreeuwen. In onvervalst Duits. Doordat hij in de oorlog van 1914-1918 als Duitser had gevochten in het Duitse leger kende hij het soldatentaaltje precies. 'Wat is dat voor gedonderjaag midden in de nacht,' schreeuwde hij. Of ze niet wisten dat kolonel Von Brandenburg een kamer in dit huis had. Dat hij hier was ingekwartierd. En of ze met hun botte hersens maar wilden beseffen dat kolonel Von Brandenburg nu in hoogst eigen persoon voor hen stond.

Hij was intussen de kamer binnengekomen en de Oberfeldwebel, die de leiding van de soldaten had, wilde iets zeggen. Maar de kleine man liet hem niet aan het woord komen.

'Waarom hebt u deze mensen niet direct gezegd dat ik hier woon?' blafte hij tegen meneer Voerman.

'Neem me niet kwalijk, Herr Kolonel,' zei deze met een dun stemmetje. 'Ik was helemaal in de war. Het harde bellen van deze heren wekte me uit mijn eerste slaap. Ik...'

'Unverschämt,' brulde Jitzchak. 'Schandelijk. Wat is uw naam, Oberfeldwebel?'

De onderofficier klapte zijn hakken tegen elkaar en zei strak: 'Oberfeldwebel Maier, 3e bataljon.'

'U hoort nog van mij, Herr Maier,' zei Jitzchak Kleerkoper dreigend. 'Voorlopig kunt u inrukken. Heil Hitler.'

Oberfeldwebel Maier klakte weer met zijn hakken: 'Jawohl, Herr Kolonel. Heil Hitler.'

Hij was vertrokken met zijn mannen. Jitzchak Kleerkoper en meneer Voerman hadden elkaar een hand gegeven en een poos gezwegen. Ze waren rakelings langs het concentratiekamp gegaan. Het gevaar was even afgewend.

'Formidabel, Jitzchak.'

'Nu zullen jullie ook moeten onderduiken,' zei Jitzchak. 'Het spijt me. Morgenochtend meteen moeten we hier weg, jij en je vrouw en David en ik. Die Oberfeldwebel zal zeker eens voorzichtig informeren wie die kwaaie kolonel Von Brandenburg eigenlijk is. Hoe komen we aan nieuwe onderduikadressen?'

Meneer Voerman had relaties, die snel voor nieuwe adressen konden zorgen. Zelf gingen hij en zijn vrouw naar Overijssel, naar een familie De Groot. Dat was een te gevaarlijke reis voor vader en zoon Kleerkoper. 'Maar mocht je toevallig in de buurt verzeild raken, kom er dan gerust aan,' zei meneer Voerman. 'Het zijn boerenmensen met een hart van goud, die zeker ook voor jullie een plaatsje zullen hebben.'

Meneer Kleerkoper en David kregen een onderduikadres in Kralingen. Nog gevaarlijk genoeg om naartoe te lopen, maar de kans om op zo'n klein stukje aangehouden te worden was toch niet zo groot. 'Nou, mensen, zorg dat je de oorlog overleeft. Het spijt me dat jullie alweer moet verhuizen. Tot weerziens.'

'Bedankt voor alles,' zei Jitzchak. 'En wat dat verhuizen betreft, liever een wandelende jood dan een hakkenklappende Duitser. Mazzeltof.'

Ze gingen uit elkaar. Jitzchak en zijn zoon liepen regelrecht in de armen van de razzia. Gelukkig vroegen de soldaten niet onmiddellijk naar papieren. Ze namen gewoon iedereen mee die ze zagen. De mannen mochten even onder geleide naar huis om een koffertje met wat kleren te halen. Voor Jitzchak en David was dat niet nodig. Die hadden al een koffertje bij zich.

Zo waren ze naar de Vlank gemarcheerd. Onderweg hadden ze

geen kans gekregen om ervandoor te gaan, omdat een van de bewakers steeds op hen lette. Misschien vermoedde hij iets. Daarom moesten ze met hun ontvluchtingspoging wachten tot ze in het kamp waren. Voorlopig was het gelukt. Voor hoelang?

'Tot het eind van de oorlog, hoop ik,' zei Michiels moeder. 'We zullen een waterdicht plan moeten maken om u over de IJssel te krijgen.'

'Als we u eens als Veluwse boerinnen verkleedden?' opperde Michiel. 'Een wit kapje op, wijde rokken, een lijfje en klaar is Kees.'

'Kan niet bij de IJssel. Daar worden van iedereen de papieren gecontroleerd.'

'Nee, die vermomming is voor de tocht over de wegen,' zei Michiel. 'Voor de IJssel moeten we wat anders verzinnen. Wacht eens even, daar schiet me iets te binnen. Het Koppelse Veer...'

'Hoezo?'

'Ik heb onlangs een heerlijk verhaal over het Koppelse Veer gehoord. Als het waar is, krijgen we beide heren zonder problemen naar de overkant. Ik zal het om zeven uur direct gaan uitzoeken.' Meneer Kleerkoper keek over zijn ijzeren brilletje.

'Mevrouw,' zei hij, 'u hebt een doortastende zoon. *U* zult wel weten welk risico u loopt. Weet hij het ook?'

Mevrouw Van Beusekom legde even haar hand op Michiels arm.

'Vroeger, meneer Kleerkoper,' zei ze, 'wilde ik niet dat mijn kinderen iets deden wat tegen de wensen van de bezetters inging. Ik vond dat te gevaarlijk en ik vond ook dat je er weinig mee opschoot. Ik moet u zeggen dat ik er altijd in mijn hart aan heb getwijfeld of Michiel zich aan mijn wensen hield. Al bijna een jaar lang weet ik niet wat hij precies uitvoert. Ik heb me daar mét tegenzin bij neergelegd. Maar, in oorlogstijd is een jongen van vijftien, zestien jaar een man, vindt u ook niet, meneer Kleerkoper? Sinds enkele weken is mijn standpunt veranderd. Ik heb u gezegd dat mijn man is overleden. De werkelijkheid is dat de Duitsers hem zonder vorm van proces hebben doodgeschoten, als gijzelaar.'

Haar stem beefde niet, terwijl ze dit zei, en geen traan van ontroering welde in haar oog; het rood van de verontwaardiging steeg naar haar wangen en ze vervolgde: 'Michiel en ik hebben dit nooit tegen elkaar uitgesproken, maar ik weet dat wij beiden, en ook mijn dochter Erica, vanaf die dag alles zullen doen om deze moorddadige praktijken tegen te werken. En daarom, mijn zoon, geef ik je graag toestemming... nee, in een tijd als deze geeft een moeder een zoon van zestien jaar geen toestemming. Ik stem ermee in dat je je uiterste best doet om deze mensen te houden uit de klauwen van de aasgieren, die van Europa één groot kerkhof willen maken.'

'Amen,' zei meneer Kleerkoper eerbiedig.

8

Vlak bij het Koppelse Veer stond een groot, wit huis. Het was het eigendom van de barones Weddik Wansfeld, een magere, statige dame van drieënzestig jaar. Zij bewoonde dit huis met haar dochter en haar schoonzoon, een broer van haar overleden man, een tweetal ongetrouwde nichten, een huisknecht en twee dienstbodes. Ondanks de aanwezigheid van enkele mannen kon er geen twijfel over bestaan wie de baas was in huis: de douairière Louise Adelheid Mathilde, barones Weddik Wansfeld. Vanwege haar voorletters werd zij soms het Lam genoemd, overigens uitsluitend als zij ver uit de buurt was. Geen bijnaam kon *on*toepasselijker zijn, want van een zacht en ontwapenend lam had de barones *niets*.

Met zeer grote tegenzin moest zij zich inkwartiering laten welgevallen. Het veer werd dag en nacht bewaakt door een vijftal Duitse soldaten, die iedere week werden afgelost. De garnizoenscommandant had bevolen dat deze vijf mannen moesten worden ondergebracht in het witte huis. De barones had zich heftig verzet, had alle overwicht van haar grijze, magere één meter tachtig in de strijd geworpen, had het zelfs voor elkaar gekregen dat de garnizoenscommandant haar persoonlijk kwam bezoeken, maar ten slotte had zij moeten toegeven.

'Goed,' had ze in onberispelijk Duits tegen de commandant gezegd. 'Ze kunnen komen, maar ze houden zich strikt aan de regels van het huis.'

'Zonder meer, Hooggeboren Vrouwe,' had de commandant, met alle respect die Duitse militairen voor de adel hebben, gezegd, 'zonder meer. Onze soldaten zijn zeer gedisciplineerd en zullen zich uiterst correct gedragen. Daar sta ik voor in.'

Zo had de douairière haar regels uitgevaardigd. Voor de huisgenoten, met inbegrip van het personeel, gold de regel: niemand spreekt met de soldaten behalve ik. Al gaat het over een gebroken kopje, ik behandel het zelf.

Voor de soldaten gold een heel stel regels. Die werden niet opgeschreven, omdat de commandant ze dan misschien ter inzage zou krijgen. Iedere maandagmorgen, vlak na het wisselen van de ploeg, werden de nieuwe manschappen bij de barones in de salon toegelaten. Zij zat dan kaarsrecht op een stoel, de mannen stonden beleefd in de houding. Zij somde zakelijk en zonder de geringste tegenspraak te dulden, de huisregels op. De onderofficier kreeg een kamer in het huis, de soldaten sliepen in de koetshuizen. Geen lawaai na tien uur 's avonds. Afval in de ton in de bijkeuken.

'Van drie tot half vier wordt thee geschonken in de serre. Drie uur stipt. Mijn personeelsbezetting laat niet toe dat er in ploegen wordt gewerkt. Daarom verlang ik van u dat u tegelijk om drie uur verschijnt. De serre is groot genoeg.'

En verder ging het, met meer gedragsregels. Zó groot was haar gezag, zó groot ook het *ont*zag voor *ge*zag van de Duitse militairen, dat iedere ploeg er altijd weer intrapte. Van drie tot half vier theedrinken. Zo hoorde het blijkbaar. Dat betekende dat van drie tot half vier het veer onbewaakt was. Enkele mensen wisten dat. Het werd doorgefluisterd naar betrouwbare relaties. En dagelijks voer veerman Van Dijk tussen drie en half vier over de IJssel met een pont vol mensen die liever niet gezien wilden worden, die geen geldige papieren hadden, die iets mee wilden smokkelen, terwijl Louise Adelheid Mathilde barones Weddik Wansfeld op een rechte stoel zat in de serre en converseerde met de Duitse Wehrmacht.

's Morgens, om negen uur al, werd Michiel aangediend bij de barones. Ze ontving hem minzaam. Ze condoleerde hem met de dood van zijn vader, waarbij ze haar afschuw voor de Duitse methoden liet blijken.

'En wat kan ik voor je doen, jongeman?'

'Een inlichting, mevrouw. U woont zo dicht bij het veer. Kunt u me zeggen of de pont vaart tussen drie uur en half vier? Ik zou omstreeks die tijd twee boerinnen naar de overkant willen brengen.'

'Twee boerinnen,' herhaalde de barones. 'Hoe oud ben jij?'

'Zestien, mevrouw.'

'Moet je niet naar school?'

'Er is geen vervoer meer naar Zwolle. En mijn fiets is ook niet meer in een conditie om...'

'Juist. En daarom transporteer je nu boerinnen. Achter op die fiets?'

'Ik hoop dat ik een paard en de dresseerwagen van Coenen kan lenen.'

'En anders?'

Michiel gaf geen antwoord. Wat zou hij moeten zeggen?

'Waarom gaan die boerinnen van je niet over de brug?'

'Omdat ze van varen houden,' antwoordde Michiel, aarzelend omdat hij enerzijds geen geheim wilde prijsgeven, anderzijds niet brutaal wilde zijn tegen de barones.

'En waarom tussen drie en half vier?'

'Ik heb gehoord dat het dan theetijd is. Ze hopen dat ze aan boord een kopje krijgen.'

'Wie zijn die boerinnen?'

'Eh... hoe heten ze nou, Bartels, geloof ik, ja, Bartels, vrouw Bartels en haar dochter Aartje.'

'En waarom breng jij ze?'

'Iémand moet ze toch brengen. Bovendien begint hun naam met een B en de mijne ook. Dat geeft een band, weet u.'

'Zeg, jongeman, je drijft de spot toch niet met me?'

'Maar, mevrouw de barones... hoe zou ik zoiets kunnen doen.'

Een dunne glimlach speelde over het magere gezicht van de barones.

'Je kunt je om half twee vanmiddag vervoegen bij de wagenschuur. Daar zal de tilbury ingespannen staan met Caesar ervoor. Ik neem aan dat je met paarden kunt omgaan? Om drie uur vijf vaart de pont af. Ik verwacht de tilbury en vooral Caesar uiterlijk om zeven uur terug.'

'Mevrouw de barones, dat is buitengewoon, ik...'

De rijzige dame was opgestaan. Ze beschouwde het onderhoud als beëindigd. Met een statige hoofdknik brak ze Michiels stamelende woorden van dank af. Haastig verliet hij het vertrek, vervuld met verwondering over deze eigenaardige vrouw.

Jitzchak Kleerkoper en zijn zoon David schoren zich zorgvuldig. Daarna werden met wat poeder de zwarte stoppels weggewerkt. De nodige Veluwse kleren werden bij elkaar gehaald uit de klerenkist van een vertrouwde boerin uit de buurt, en zelfs werd haastig nog iets in elkaar genaaid door Erica en haar moeder. De witte, gesteven mutsjes hielpen geweldig om de Kleerkopers er vrouwelijk te laten uitzien. Het was een komisch gezicht, die twee naast elkaar in hun Veluwse dracht.

'Vang,' riep mevrouw Van Beusekom ineens en ze gooide meneer Kleerkoper een appel toe. Instinctmatig sloeg meneer Kleerkoper zijn knieën tegen elkaar, zoals mannen, met broeken aan, dat doen als ze zittend iets moeten vangen.

'Fout,' glimlachte mevrouw Van Beusekom. 'Een vrouw met een lange, wijde rok aan doet in zo'n geval automatisch haar knieën naar buiten, omdat haar rok dan als het ware een vangzeil vormt.'

'Nou, vader, je hebt je eerste onvoldoende als vrouw te pakken,' grijnsde David.

'Ik ben een vrouw van niks,' gaf meneer Kleerkoper schuldbewust toe. 'Misschien ben jij een betere, David.'

Hij had een sigaret gedraaid van eigenbouwtabak en mikte die op Davids schoot. David, gewaarschuwd, deed zijn knieën uit elkaar, zodat hij de sigaret keurig op zijn rok opving.

'Voordat je nu trots in het rond gaat zitten kijken,' zei zijn vader, 'zou ik wel eens willen zien of je weet hoe een vrouw een lucifer afstrijkt.'

'Of ik dat weet. Een man strijkt naar zich toe, met zijn middelvinger vlak achter de kop van de lucifer, kijk, zó, maar een vrouw houdt het houtje hoger vast en strijkt van zich af.'

Op wat hij als de vrouwelijke manier beschouwde streek hij de lucifer langs het doosje en stak de sigaret aan. Triomfantelijk keek hij om zich heen.

'Ik ben diep onder de indruk,' zei meneer Kleerkoper fijntjes, 'alleen heb ik nog nooit een Veluwse boerin een sigaret zien roken.'

Iedereen lachte, David het hardst van allemaal.

'Mijn vader heeft nu eenmaal altijd het laatste woord,' zei hij.

'We moeten afspreken dat u onderweg niets zegt als anderen het kunnen horen,' zei Michiel. 'Niet alleen omdat u mannenstemmen hebt, maar ook omdat u het Veluwse dialect niet kent. Ik moet om uiterlijk zeven uur weer aan deze kant van de IJssel zijn. Er is dus tijd om u een eind verder te brengen dan net over de rivier. Waar moet u heen, of vertelt u dat liever niet?'

'De familie De Groot woont in Den Hulst,' zei meneer Kleerkoper.

'Twintig kilometer voorbij Zwolle,' wist Michiel. 'Dat zullen we niet helemaal halen, maar wel een eind heen. 's Kijken (hij rekende even), als u de laatste zeven kilometer moet lopen, kunt u toch royaal voor achten binnen zijn.'

'Voor de zekerheid kunnen we dan maar beter onmiddellijk vertrekken, lijkt me,' zei David.

'Dat helpt niet. We nemen de pont van vijf over drie.'

'Kunnen we geen pontje eerder nemen?'

'Alleen de overtocht van vijf over drie is veilig. Waarom, dat vertel ik u na de oorlog wel eens.'

'Ik vertrouw volledig op je,' zei meneer Kleerkoper.

Om precies half twee was Michiel bij de wagenschuur van het witte huis aan de IJssel. De tilbury stond ingespannen; de zwarte, vurige Caesar sloeg van ongeduld met zijn voorbenen het vuur uit de keien. Michiel was zenuwachtig, maar toen hij de leidsels in zijn handen had, veranderde zijn nervositeit in een zekere overmoedigheid. Het paard trok een scherpe, rechte draf over de Veldweg, reageerde prachtig op ieder signaal van de leidsels en maakte de indruk zonder verdere training de nationale draverijen te kunnen winnen. Michiel mende dikwijls paarden, als hij de boeren hielp met het werk op het land. Meestal ging het dan langzaam, omdat er zware wagens moesten worden getrokken. Maar dit was heerlijk. Toen hij zijn twee pseudoboerinnen in de tilbury had zitten, voelde hij zich een held, een soort Ben Hur. Dat werd er niet minder op toen, geschrokken door de snelle vaart, meneer Kleerkoper zich wat angstig vastgreep aan de bank en David bewonderend opmerkte dat hij kennelijk meer met paarden had omgegaan.

Helaas, veel van zijn plezier verdween toen ze weer op de Veldweg waren. Want daar reden ze Schafter voorbij. De man was lopend en toen de tilbury hem voorbij stoof, stak hij zijn hand op om mee te mogen rijden. Michiel had niet meer dan enkele seconden om te beslissen. Schafter hier naast me op de bok om me uit te vragen, dat nooit, dacht hij. Daarom deed hij net of hij de man niet zag. Uit zijn ooghoeken nam hij waar, dat Schafter met enige verwondering naar zijn passagiers keek en zich waarschijnlijk afvroeg, waarom hij niet wist wie deze vrouwen waren, terwijl hij toch in de wijde omtrek iedereen kende. Hij wilde vast ook graag weten waar Michiel van de burgemeester met die vrouwen heen moest. Naar het veer natuurlijk, de Veldweg liep regelrecht naar het veer. Schafter was niet op zijn achterhoofd gevallen. Nou ja, overwoog Michiel, lópend kan hij het veer nooit voor vijf over drie halen. Zo heel veel geeft het dus niet. Ik vertel hem later wel een smoesje.

Alles ging goed. De overtocht verliep zonder problemen. Er was geen Duitser te zien. Michiel vroeg aan veerman Van Dijk of hij om half zeven terug kon varen en dat kon.

'Dâ's 't peerd van de barones,' stelde Van Dijk vast.

Michiel knikte. Hij verwachtte dat om een nadere uitleg zou worden gevraagd, maar Van Dijk besloot verder te zwijgen.

Ook aan de andere kant van de IJssel waren er geen moeilijkheden. Ze reden ruim een uur in flinke draf verder. Toen zei Michiel: 'Hier zou ik graag omkeren. Ik moet wat speling houden, want je kunt nooit weten. Trouwens, Caesar zal ook wel wat langzamer willen, lijkt me. Denkt u dat u het kunt vinden?'

'Beslist,' zei meneer Kleerkoper.

Hij en David stapten uit. Ze gaven Michiel een hand.

'God zal het je lonen,' zei meneer Kleerkoper. Hij gebruikte dezelfde woorden als de oude man met het gebroken wiel. Wat was er ook anders te zeggen?

'Nu wij weg zijn is het gevaar voor jou gelukkig grotendeels verdwenen,' meende David. 'Ik hoop dat we je nog eens ontmoeten. Vaarwel.'

Michiel draaide de tilbury. Ook hij dacht dat er op de terugtocht niet veel kon gebeuren. Maar daarin vergiste hij zich.

Hij had ongeveer twintig minuten gereden toen hij op een karrenpad rechts een andere wagen met een paard ervoor zag aankomen. Het was een gewone platte wagen, die de boeren gebruiken om hooi en rogge op te vervoeren, maar het bijzondere aan deze was dat er een stelletje gewapende Duitse soldaten op zat en dat *er vier paarden achter aan de wagen gebonden waren*. Michiel wist wat dat betekende: paardenrazzia. Deze manschappen waren erop uitgestuurd om paarden te vorderen. Een meter of vijftig achter hem draaide de wagen met de Duitsers de weg op. Toen had Michiel de zweep al over Caesar gelegd. Gelukkig had het paard nog fut. Met nieuwe veerkracht snelde het dier voort.

'Halt, staan blijven,' hoorde Michiel schreeuwen.

Wat moest hij doen? Hij keek achterom en zag dat ook de Duitse voerman de zweep hanteerde. Zou hij stilhouden? Dat betekende dat de barones haar paard kwijt was. Ze zou er hoogstens een briefje voor terugkrijgen waarop stond dat zij een paard tegoed had bij het Duitse Rijk. Daar had je nogal wat aan. Bovendien zouden ze hem misschien ondervragen. Wat hij in deze buurt te zoeken had. Hij voelde de zenuwen weer in zijn maag omhoogkruipen, maar tegelijkertijd kwam het trekje van nijd en vastberadenheid op zijn gezicht, dat daarop het eerst was verschenen toen hij aan het graf van zijn vader stond.

'Vooruit, Caesar!'

Weer hoorde hij geschreeuw achter zich. De Duitsers merkten dat ze achter raakten. Hun vos kon tegen dat vurige zwarte paard niet op. Des te meer reden om het te willen hebben. Een van de soldaten nam zijn geweer en schoot in de lucht. Michiel schrok. Hij was lang niet genoeg vóór om buiten het bereik van hun kogels te zijn. Hij zag dat een eindje verderop links een zijweg was. In volle ren stuurde hij Caesar erin, zó snel dat de tilbury bijna omsloeg. Het was een bosweg, waar kennelijk heel wat paard-en-wagens reden, want overal zag hij er sporen van. Nu weer naar links en dan naar rechts. Zou hij zijn achtervolgers kwijt kunnen raken? Ah, hij zag waarom er zoveel wagens hadden gereden. De boeren waren hakhout aan het kappen en gebruikten de wagens natuurlijk om het naar huis te rijden. Nog steeds hoorde hij achter zich het woedende geschreeuw van de soldaten, maar hij zag ze niet meer. Nu hier naar links, weer links... tot zijn schrik merkte hij dat hij op een doodlopend weggetje was, onmogelijk om te keren.

'Ho, Caesar.'

Michiel sprong van de bok. Hij bond het paard aan een boom en vluchtte het lage hout in. Als ze hem nu te pakken kregen, zag het er niet best voor hem uit. Hij volgde een klein paadje. Hoorde hij daar stemmen? Inderdaad, daar moest volk zijn. 's Kijken of die mensen er betrouwbaar uitzagen, misschien kon hij hun vragen hem een schuilplaats te wijzen. Toch maar voorzichtig zijn, je kon nooit weten wie het waren. Hij liet zich op zijn knieën zakken en kroop dichterbij. Die voorzichtigheid was niet overbodig. Het bleken de stemmen van zijn achtervolgers te zijn, die in gesprek waren met twee boeren die hout aan het kappen waren. Typisch Saksische boeren, een blauwe pet vast op het hoofd, een pruim tabak achter de kiezen. Ze kauwden bedachtzaam op die pruim, namen de tijd om, voor ze antwoord gaven op een vraag, een brede straal tabakssap de ruimte te geven, ze krabden eens op hun achterhoofd, ze keken eens naar de lucht, ze trokken hun gezicht in een zo onnozel mogelijke plooi, kortom, ze gaven de driftige Duitsers de indruk dat ze nauwelijks slimmer waren dan het achtereind van een matig begaafd varken.

'Hebben jullie hem nou gezien of niet?' schreeuwde een van de Duitsers.

'Dâ was toch 'n zwart peerd dat 'r zo net langs kwam, hé Driekus,' zei een van de boeren.

'Wis en waarachtig was dat 'n zwart peerd,' zei de ander.

'En die kar, bedoelt meneer de soldaat daar een tilbury mee?'

'Dat zal wel,' stampvoette de Duitser. 'Vertel me nou wat voor kant die kar is opgegaan.'

'O, wou meneer de soldaat dat weten. Nou, rechts.' Hij wees overtuigend in de richting tegenovergesteld aan die welke Michiel had genomen. De Duitsers keken hem onderzoekend aan. Sprak die man de waarheid? De boer glimlachte met de kinderlijke onschuld, waar alleen de Saksen het geheim van kennen.

'Ja, krek,' zei Driekus, 'die kant uit.'

'Bedankt,' riep de Duitser. 'Voorwaarts, mannen.'

Ze verdwenen in de aangegeven richting. Michiel liep op een holletje naar het paard, leidde het achteruit het weggetje af, sprong op de bok en reed snel de weg terug die hij was gekomen. Toen hij langs de beide houthakkers kwam, hield hij even in.

'Verkeerde kant opgestuurd?' riep hij.

De mannen grijnsden. De ene, die niet Driekus heette, nam de moeite om met zijn duim over zijn schouder de richting aan te geven, waarin Michiels achtervolgers waren verdwenen.

'Achter 'n zwart peerd an,' zei hij.

'Bedankt. Tabee.'

'Moi.'

Een paar minuten later was Michiel terug op de verharde weg en vervolgde zijn tocht naar het Koppelse Veer. Hij haalde het nog juist voor half zeven. Hij werd overgezet door Van Dijk en leverde het paard en de tilbury af bij het witte huis. Graag zou hij de barones nog even bedankt hebben, maar zij liet zich niet zien. Daarna fietste hij snel naar huis. Toen hij de voortuin inkwam, meende hij even dat zijn moeder voor het raam stond uit te kijken. *Als* dat zo was, wilde ze het niet weten, want toen hij binnenkwam was ze in de keuken bezig en ze vroeg rustig of alles goed was gegaan.

'Prima,' zei Michiel. 'Alleen ben ik op de terugweg even achternagezeten door enkelen van onze vrienden die het paard wilden vorderen. Ze hebben zelfs nog geschoten. In de lucht hoor,' vervolgde hij haastig, toen hij de plotseling bange ogen van zijn moeder zag. 'Het was een koud kunstje om te ontsnappen. Die Caesar is een geweldig paard.'

'Mooi,' zei zijn moeder, in een heldhaftige poging om onverschillig te doen. 'Ik zal wat te eten voor je klaarmaken.'

Maar ze kon het toch niet laten hem in het voorbijgaan even een kus op zijn achterhoofd te geven.

Nog net voor achten kwam oom Ben aanzetten. Hij was wekenlang niet geweest en wist nog niets van de dood van Michiels vader. Hij had de burgemeester altijd graag gemogen en was diep onder de indruk.

‘Was ik er maar geweest,’ steunde hij. ‘Misschien had ik iets kunnen doen.’

‘Wat dan?’ vroeg Michiel.

‘Een overval op de kazerne of... ach nee, ’t had toch niet gekund. Ik had waarschijnlijk niets kunnen uitrichten. Weten jullie nu al wie die Duitser in het bos heeft gedood?’

‘Nee, natuurlijk niet. Die vent komt heus niet voor de dag. Die laat liever vijf onschuldige burgers neerknallen.’

‘’t Is vreselijk,’ zuchtte oom Ben.

Om zijn oom weer wat op te vrolijken vertelde Michiel het verhaal van de geslaagde ontsnapping van meneer Kleerkoper en zijn zoon, de tocht over de IJssel en de achtervolging door de paardenvorderaars.

Oom Ben ramde Michiel op zijn schouder, iets harder dan lekker was voor die schouder.

‘Goed werk, broer,’ zei hij. ‘Als de oorlog nog een jaartje duurt, kun je ook bij de ondergrondse komen.’

Het kostte Michiel moeite om niet te vertellen dat hij al tot over zijn oren in de geheimzinnigheden verwikkeld was.

Midden in de nacht werd hij wakker gemaakt door Rinus de Raat. De jager raasde laag over het huis, een keer of twee, drie. Dat was zo’n geluid waar je hart even van stil stond en al je spieren zich van spanden om direct hard weg te kunnen hollen. Rinus de Raat was de zoon van de schoenmaker. Al in het begin van de oorlog was hij ’m gesmeerd naar Engeland. Volgens zijn vader was hij piloot geworden op een Spitfire. Daarom zei iedereen altijd gnuivend als er zo’n vliegtuig boven het dorp verscheen: ‘Daar hê je Rinus de Raat.’

Michiel kon de slaap niet meer vatten. Hij dacht na over Schafter. Wat kon hij de man vertellen? Want dat de slimme en nieuwsgierige Schafter niet zou rusten voor hij het naadje van de kous wist, of meende te weten, daarvan was hij zeker. Pas toen hij een aannemelijk verhaal had bedacht, sliep hij weer in. 'Rinus de Raat' was toen allang weer geland op een vliegveldje in het zuiden van Nederland, dat al sinds de zomer in handen was van het bevrijdingsleger.

9

De volgende morgen besloot Michiel om maar eens onopvallend langs het huis van Schafter te wandelen. Misschien kwam hij hem tegen. Op weg ernaartoe ontmoette hij meneer Postma. Zijn eerste impuls was om zich af te wenden. Hij was ervan overtuigd, dat meester Postma bij de verzetsgroep in de Vlank hoorde, en was die verzetsgroep er niet de schuld van dat er vijf mannen waren doodgeschoten?

Meneer Postma zag zijn onwillekeurig gebaar en kwam direct op hem af. Hij greep hem bij een knoop van zijn jekker en zei: 'Ik weet dat ik mijn boekje te buiten ga, Michiel, maar ik wil je dit zeggen: De ondergrondse van de Vlank weet niets af van de dode soldaat in het bos. Dat weet ik zeker.'

Michiel schaamde zich al.

'Dank u, meester,' zei hij.

'Zul je vergeten dat *ik* je dit heb gezegd?'

'Ik ben het al vergeten.'

'Goed zo.'

Beiden vervolgden hun weg. Michiel liep langs het huis van Schafter. Hij zag niets. Maar toen hij een eindje verder was omgekeerd en terugliep langs het huis, stond Schafter iets te doen in de voortuin.

'Môge, Schafter.'

'Ah, dag Michiel. Wou je me niet zien, gisteren?'

'Ik u niet zien? Waar dan?'

'Op de Veldweg. Je kwam me voorbijstuiven met de tilbury van de barones Weddik Wansfeld. Dat wás toch de tilbury van de barones?'

'Dat was 'ie, ja.'

'Ik had graag een eindje mee willen rijden, maar je zag me niet.'

'Neem me niet kwalijk, hoor.'

''t Geeft niet. Ik moest bij Verheul wezen. Dat is niet zo ver. Zeg, die twee boerinnen...'

Schafter kwam een stapje dichterbij en liet zijn stem dalen tot een vertrouwelijk gefluister.

'... die twee boerinnen, wie waren dat?'

'Dat waren zusters van een van de meiden van de barones,' zei Michiel. 'Ze zijn van Uddel, bij Elspeet, weet je wel. Ze hadden vandaag een bruiloft in Zwolle en de barones vond goed, dat ze met haar tilbury werden gehaald. Toen heeft Aaltje aan mij gevraagd of ik het wilde doen.'

'Zo,' zei Schafter. 'En moest Aaltje niet mee naar de bruiloft?'

'Jazeker. Ze is ook meegegaan.'

'Dan is het wel gek dat ik haar vanmorgen aan deze kant van de IJssel tegenkwam.'

Michiel verschoot van kleur. 'Dan, eh, dan is ze zeker plotseling teruggeroepen,' stotterde hij.

Schafter keek naar de lucht. 'Die zusters van Aaltje waren niet toevallig een paar verklede mannen?' informeerde hij langs zijn neus weg.

'Welnee, hoe komt u daar nou bij,' zei Michiel en hij probeerde het zo verontwaardigd mogelijk te laten klinken.

'O, ik dacht maar zo. Het gezicht van de ene leek nogal mannelijk.'

'Ik moet er weer 's vandoor,' zei Michiel.

'Luister eens,' zei Schafter, 'je kunt mij gerust in vertrouwen nemen. Ze zeggen wel van me dat ik fout ben, maar daar is niks van waar. Ik moet ook een paar mensen over de IJssel zien te krijgen. Als jij een manier weet, zeg het me dan. Ik zweer je, dat ik er geen misbruik van zal maken.'

De rillingen liepen Michiel over de rug. Dat die man zó brutaal was.

'Ik weet niet waar u het over hebt. Ik ken geen maniertjes. Twee vrouwen uit Uddel waren het, verder niks. En ik snap ook niet wat je er eigenlijk mee te maken hebt. Goeiendag.'

Met grote passen liep hij weg. Hij verprutste ook altijd alles. *Alles*. Wat moest hij nou weer doen?

Nog diezelfde middag werd veerman Van Dijk gevangengenomen.

Een onbekende figuur kwam in zijn plaats. De barones kreeg huisarrest opgelegd. Tot haar aandeel in de clandestiene overtochten was uitgezocht, mocht ze haar huis niet verlaten. De straf die de Duitse soldaten kregen, werd niet bekend. Het waren er ook zo veel geweest die zich in de loop van de maanden door de barones in de luren hadden laten leggen. De laatste onderofficier die het bevel had gevoerd, raakte zijn sergeantsstrepen kwijt, dat bericht siepelde wel door.

Weer verwachtte Michiel, die zich vreselijk schuldig voelde, dat hij zou worden gehaald voor een verhoor. Ze zouden toch zeker willen weten waarheen hij die twee vrouwen had gebracht. Weer naderde hij hun huis omzichtig als hij uit was geweest. Weer kon hij haast niet eten van de zenuwen en moest hij om de tien minuten naar de wc. En weer gebeurde er niets. Niemand vroeg naar hem. Niemand interesseerde zich voor hem. Had Schafter zijn naam verzwegen? Voelde hij sympathie voor Michiel en wilde hij de jonge jongen sparen? Zo aardig deed hij anders niet tegen Schafter. Michiel wist het niet. Hij wenste meer dan ooit dat het bevrijdingsleger van de Amerikanen en de Engelsen, de Canadezen en de vrije Fransen een beetje opschoot.

Veertien dagen later was het voorlopig onderzoek afgesloten. De rol van de barones was duidelijk geworden en een onderofficier met twee soldaten kwamen haar arresteren.

Ze vonden de deur op slot en de luiken voor de ramen. De onderofficier rukte hard aan de bel. Op de eerste verdieping ging een raampje open en de barones riep naar beneden: 'Scheer je weg.'

‘Ik gelast u de deur te openen. Ik kom u arresteren,’ zei de onderofficier plechtig.

‘Scheer je weg. Een Weddik Wansfeld wordt niet gearresteerd.’ De onderofficier wist niet goed wat hij moest doen. Hij gooide het over een andere boeg.

‘Mevrouw de barones, ik verzoek u met mij mee te gaan naar de commandopost. De garnizoenscommandant wil u graag spreken.’

‘Aanmerkelijk beter,’ zei de barones. ‘Maar het antwoord is nee. Als de commandant mij wil spreken, zal hij zich hier moeten vervoegen.’

‘Alstublieft, barones,’ zei de onderofficier smekend.

Bij wijze van antwoord werd het raam dichtgedaan.

De onderofficier wist niet beter te doen dan terug te gaan en rapport uit te brengen. ’s Middags verscheen er een officier, nu met vijf manschappen die een balk meedroegen. De gebeurtenissen van ’s morgens herhaalden zich. Weer werd aan de bel gerukt, weer verscheen de barones voor het bovenraam.

‘Als u de deur niet onmiddellijk opent, laat ik hem openrammen,’ brulde de officier, die een mannetjesputter was.

‘U moet doen wat u niet laten kunt,’ zei de barones.

De mannen brachten de balk in de juiste positie, zetten zich in het gelid, en lieten hem tegen de zware, met ijzer beslagen voordeur dreunen. Direct daarna klonk een schot en een schreeuw van één van de soldaten. Hij was in zijn arm getroffen.

‘Donnerwetter,’ vloekte de officier. Achter de balustrade van een balkon had hij een glimp gezien van de barones met een geweer. ‘Dit kost u het leven,’ brulde hij naar boven.

‘Het was een waarschuwingsschot in een arm,’ riep de barones. ‘De volgende keer mik ik op een hoofd. Het uwe.’

‘Dat mens is gek,’ mopperde de officier. Het leek hem veiliger om de beschutting van de bomen aan de overkant van de weg op te zoeken. Moest hij nu warempel met zes man dit huis bestormen? Dat kon wel eens een paar levens gaan kosten. Bovendien had de commandant gezegd dat hij de barones met onderscheiding moest behandelen. De commandant was de zoon van een rentmeester. Hij had diep respect voor de adel. Het was toch te gek. Je kon toch niet een paar man opofferen om een oude vrouw te arresteren. Zou hij een paar handgranaten door de ramen gooien? Hoe zou de commandant dat vinden? Ook hij besloot terug te gaan en rapport uit te brengen. Hij wist niks beters en had behoorlijk de pest in.

Die dag gebeurde er verder niets, maar de volgende morgen om half elf kwam de garnizoenscommandant persoonlijk. Hij trok beschaafd aan de bel en de barones verscheen, het begon een gewoonte te worden, voor het bovenraam.

'Hooggeboren Vrouwe,' zei de commandant, 'ik vraag u de gunst mij te willen ontvangen.'

'Dan kan,' antwoordde de barones, 'als u uw pistool aflegt.'

'Met genoegen.'

De commandant deed zijn koppel met de pistoolholster af. Even later hoorde hij het terugschuiven van grendels en het rammelen van een ketting. De deur ging open. Hij stapte naar binnen en zag dat de barones, onberispelijk gekleed in een lange ochtendjapon, een zwaar legerpistool in haar hand hield. Ze wuifde hem een eindje verder de gang in en schoof daarna zorgvuldig de grendels weer voor de deur. Zelfs de zware ketting ging weer om de haak.

'Aardig pistooltje,' zei de commandant rustiger dan hij zich voelde. Hij vond de achteloze manier, waarop de adellijke dame met de trekker speelde, nogal verontrustend.

'Mijn man is bij de huzaren geweest,' verduidelijkte de barones. 'Er is ook nog een legergeweer en een dubbelloops jachtgeweer. En voldoende ammunitie.'

'Weet u dat op wapenbezit de doodstraf staat?' vroeg de commandant.

'Dat is mij bekend. Gaat u toch zitten. Helaas kan ik u niets aanbieden omdat mijn personeel in de muziekkamer zit.'

‘In de muziekkamer?’

‘Zeker. Mijn andere huisgenoten ook. Het zijn bange wezels. Ik heb ze in de muziekkamer laten gaan en de knip voor de deur geschoven.’

Ze is gek, dacht de commandant. Ze zat rechtop tegenover hem, de loop van het pistool nauwkeurig op zijn hart gericht. Hij twijfelde er niet aan of ze zou de trekker overhalen als hij ook maar iets ondernam om haar het wapen afhandig te maken.

‘Mevrouw, het is oorlog. Ik moet u verzoeken met mij mee te gaan.’

‘Waarheen?’

‘Naar de kazerne.’

‘Om mij vervolgens te laten veroordelen en terechtstellen,’ zei de barones. ‘Zojuist hebt u al gezegd dat ik de doodstraf kan krijgen voor het bezit van wapens. Ik heb me ook nog verzet tegen arrestatie en één van uw knapen in de arm geschoten. Bovendien denkt u dat ik iets met het Koppelse Veer heb te maken. Nee, mijn beste commandant, ik heb besloten mij niet te laten arresteren, zelfs niet door het Herrenvolk.’

De commandant begon, al zijn bewondering voor de adel ten spijt, uit zijn humeur te raken.

‘Geef mij dat pistool, mevrouw.’

Als enig antwoord spande de barones de haan.

‘Ik zal u met geweld uit dit huis laten halen.’

‘Waarom hebt u dat gisteren niet laten doen?’

‘Dat is mijn zaak.’

De barones stond op. Zij beschouwde het onderhoud als beëindigd. Woedend liep de commandant de gang door naar de voordeur. Als zij de grendels van de deur schuift, sla ik het pistool uit haar handen, dacht hij. Maar hij kreeg geen kans. De rijzige dame beduidde met een hoofdknik dat hij de grendels zelf weg moest schuiven en de ketting van de haak lichten.

'U handelt dwaas, Hooggeboren Vrouwe,' zei hij ten afscheid.

'Tegen de achtergrond van de daden van het Duitse Rijk is niets te dwaas,' antwoordde de barones.

Zij neeg het hoofd en sloot de deur achter hem.

De volgende morgen verscheen er een tank bij het witte huis aan de IJssel. De garnizoenscommandant kwam zelf mee. Hij had er de hele nacht over gepiekerd en meende dat hij een oplossing had gevonden een barones, en zeker *deze* barones, waardig. Hij kwam de tank niet uit.

'Barones,' riep hij, zijn bovenlijf uit de geschutskoepel stekend.

De barones verscheen voor het bovenraam.

'Geeft u zich over?'

'Een ogenblikje,' zei ze.

Even later ging er een klein deurtje in het achterhuis open en in ganzenpas kwamen alle huisgenoten naar buiten. Allen, behalve de barones. De dienstbodes, de huisknecht, de nichten, de zwager, de schoonzoon en ten slotte de dochter.

'Moeder, ga mee,' smeekte de dochter.

'Om me te laten doodschieten door die onverlaten, morgenochtend om zes uur op een binnenplaats? Nee, dank je. Ik ben te oud om gevangene te zijn. En te trots.'

De dochter snikte en volgde de anderen. De barones deed het deurtje zorgvuldig op de grendel. Ze ging naar het balkon, een geweer in de hand.

'Commandant!'

'Mevrouw, ik luister.'

'Neemt u er nota van dat mijn huisgenoten niets te maken hebben met deze zaak? Geen van hen heeft ooit een woord met een van uw mannen gesproken. Ik ben verantwoordelijk en ik alleen.'

'Ik neem er nota van,' zei de commandant. 'Mevrouw, geef u over.'

De barones richtte het geweer en schoot een kogel rakelings langs zijn hoofd. Haastig dook de commandant weg en sloot de geschutskoepel. Bedaard schreed de barones naar binnen en begaf zich naar het grote vertrek waar de schilderijen van haar voorouders hingen.

'Vuur,' zei de commandant.

De tank begon te schieten. Twintig granaten belandden in het witte huis. Spoedig brandde het als een fakkel en begonnen de muren in te storten. Pas toen het ondenkbaar was dat zich in de ruïne nog een levend wezen zou kunnen bevinden, gaf de commandant het teken van vertrek. Zo gauw de tank was verdwenen, snelden de huisgenoten van de barones en alle mensen uit de buurt, die het gebeuren hadden gadegeslagen, erop af en begonnen verwoed te blussen. Na een uur was het zo ver dat ze zich voorzichtig durfden wagen tussen de geblakerde muren, die vol gaten zaten door de granaten. Ze zochten en ze vonden. De douairière Louise Adelheid Mathilde, barones Weddik Wansfeld lag, maar nauwelijks door het vuur aangetast, onder een stapel neergestorte stenen. Ze had een oranje sjerp om. Als de commandant de moeite had genomen te komen kijken, dan zou hij aan de onverzettelijke trek op haar gezicht hebben kunnen zien, dat Duitsland de oorlog op den duur zou verliezen.

10

De weken gingen voorbij. Het werden maanden. De kortste dag kwam, 21 december. Kerstmis 1944. Een pikzwarte Kerstmis. Oudejaarsavond. Zou het nieuwe jaar vrede brengen, hoeveel mensen vroegen zich dat af, die oudejaarsavond? Januari, een lange, koude maand, zonder brandstof, bijna geen voedsel. De honger in de grote steden nam schrikbarende vormen aan. Velen liepen met buiken opgezet van hongeroedeem, sommigen stierven. Wie nog enige kracht overhad, trok naar het oosten en het noorden om te proberen wat voedsel te bemachtigen en thuis te brengen bij de kleine kinderen en de ouden van dagen. De droevige stroom etenzoekers werd steeds groter, maar bewoog zich ook steeds langzamer. De mensen waren verzwakt.

De Duitsers werden nerveuzer en daarmee wreder. Het ging slecht aan alle fronten. Ze leden verliezen aan het oostelijk front, waar de Russische legers oprukten. Hun stellingen in het zuiden waren al opgerold. In het westen hadden de geallieerde legers Frankrijk, België en het zuiden van Nederland bevrijd en nu stootten ze door in oostelijke richting, naar de Heimat, naar Duitsland zelf. Hitler ging de oorlog verliezen, daar kon geen zinnig mens meer aan twijfelen.

En dan? Zouden de geallieerden dan net zo huishouden in hun land als zij hadden huisgehouden in Nederland, België, Frankrijk, Noorwegen, Denemarken, Tsjecho-Slowakije, de Balkanlanden, Noord-Afrika, het Nabije Oosten, en vooral in Polen en Rusland? Wat stond hun te wachten als de concentratiekampen werden ontdekt, de vernietigingskampen, waar miljoenen onschuldigen waren vermoord als waren zij schadelijke insecten?

Wat was er overgebleven van het trotse Duitsland, met zijn superieure legers en zijn onoverwinnelijke Führer, Adolf Hitler? O zeker, Hitler sprak nog altijd over de uiteindelijke, de totale zegepraal, over het geheime wapen dat hij nog achter de hand had, over de onoverwinnelijkheid van het Germaanse ras. Maar wie geloofde dat nog? In de harten van de Duitse militairen groeide bitterheid en overal waar zij zich nog konden handhaven, knalden de salvo's van de executiepelotons.

Eindelijk had Erica het gips van Jacks been durven verwijderen. Ze had er veel liever de dokter bijgehaald, die Jack direct na zijn verwonding had behandeld, maar hoe ze ook piekerden, hoe Jack ook probeerde zich een naam te herinneren, ze kwamen er niet uit. Alleen Dirk wist het en Dirk zat gevangen in Amersfoort, daar hadden zijn ouders een kort berichtje van gekregen.

Erica was bang dat het niet helemaal goed was met dat been. Op de plaats, waar het gebroken was geweest, zat een dikke knobbel, dat bleek toen het gips eraf was. Misschien was dat niet zo abnormaal, maar het leek ook of het been een ietsje pietsje scheef stond. En het bleef pijn doen als Jack probeerde erop te lopen. Ondanks dat oefende hij dagelijks en na een tijdje kon hij weer een beetje uit de voeten – maar de honderd meter hardlopen zou hij voorlopig niet winnen, dat was wel duidelijk.

Ook met de wond aan zijn schouder ging het niet zoals het zou moeten. Dank zij Erica's goede zorgen was de infectie overgegaan, dat wel. Ze vernieuwde het verband tweemaal per week en zorgde dat de wond volkomen schoon bleef. Maar het gat groeide slecht dicht.

'Wat is dit ook voor een ziekenhuis,' mopperde de halfwas verpleegster. 'Bed: een hoop dorre bladeren. Instrumenten: een nagelschaartje en een aardappelschilmesje.'

'Maar goed gesteriliseerd,' zei Jack.

'Goed gesteriliseerd, ja,' vervolgde Erica, 'maar 't zijn me de instrumenten wel. Voedsel: altijd oudbakken, nooit echt verse groenten, koude aardappels...'

'Maar met liefde gekookt,' zei Jack.

'Dat is zo,' glimlachte Erica en ze streelde zijn baardige wang.

'Drank: koude thee en karnemelk.'

'Ik moet toegeven dat ik best zou lusten een glas whisky,' onthulde Jack, die nu bijna foutloos Nederlands sprak, al had hij nog een zwaar accent.

'Temperatuur: koud en vochtig. Revalidatiecentrum:...'

'Wat zei je?'

'Revalidatiecentrum. Ruimte om te oefenen met je manke pootje. Twee bij twee meter, verminderd met de plaats in beslag genomen door genoemde hoop dorre blaren, een wrakke stoel en een tafeltje. Dokter: afwezig.'

'Overige medische begeleiding,' zei Jack, 'van het allerbeste.'

'Hoe moet ik je onder deze omstandigheden ooit gezond krijgen?'

'Och,' zei Jack, 'je moet maar denken: als ik gezond ben, ik moet proberen terug naar Engeland te komen uit alle macht. Dat staat in onze luchtmachtregels. Vind jij dat zo leuk? Ik weet natuurlijk dat ik ben een hele last voor je, maar...'

'Nee, lieveling,' zei Erica en ze was alweer verzoend met Jacks trage genezing.

Michiel maakte een moeilijke tijd door. De gebeurtenissen met het Koppelse Veer en de barones Weddik Wansfeld hadden hem diep geschokt. Hij was naar de begrafenis gegaan. Tenminste duizend mensen hadden hetzelfde idee gehad. Het was een demonstratie van bewondering voor de barones geworden, een demonstratie tégen de Duitsers ook. De garnizoenscommandant had een krans gestuurd, omdat ook hij wilde tonen respect voor deze vrouw te hebben. Dat had men wel sportief van hem gevonden.

Niemand van al deze mensen weet dat het mijn schuld is, had Michiel gedacht, toen hij op het kerkhof stond. Ook niet de dominee, die moedig genoeg was om in zijn grafrede de Duitsers er flink van langs te geven. Ook niet de freule Weddik Wansfeld, die bloemen strooide op de kist van haar moeder. Ook niet de onbekende, die een boeket had gestuurd met een oranje lint erom, waar 'Leve de Koningin' op stond.

Het ergste was dat hij niet wist wat hij fout had gedaan. Hij wist het niet, toen met Bertus Hardhorend, en nu wist hij het weer niet. Hoe had hij anders moeten handelen? Als hij nu wéér twee joden naar de overkant van de IJssel moest brengen, zou hij dan iets beters kunnen verzinnen, iets veiligers? Alles wat hij ondernam, ging verkeerd. Allerlei mensen kwamen erdoor in de knel, behalve hij zelf. En toch deed hij alles zo voorzichtig. Was hij dan toch een kind, te klein voor dit verantwoordelijk werk? Eén dezer dagen zouden ze ook Jack wel oppakken, door zijn schuld. Dan was het verhaal compleet.

Hij besloot dat hij zich in het vervolg zo min mogelijk met illegaal werk zou bemoeien. Blijkbaar kon hij het niet. Naar Jack ging hij nog maar eens in de week. De rest deed Erica en ze deed het boven verwachting goed. En hij die meende, dat hij zoveel beter was dan zijn oudere zusje. Het mocht wat. Hij verprutste alles. Zou hij Jack helemaal aan Erica overlaten? Nee, dat kon hij toch niet over zijn hart verkrijgen. *Hij* had van Dirk de brief gekregen, *hij* was verantwoordelijk. Hij verdubbelde zijn voorzorgsmaatregelen, hij piekerde zich suf over de fouten die hij zou kunnen maken en hoe hij ze moest vermijden, en hij bleef eens per week gaan.

Als hij Schafter tegenkwam, draaide hij nu ostentatief zijn hoofd de andere kant uit. Die gemene verrader zou nu wel begrijpen dat *hij* begreep wie de barones had aangegeven bij de Duitsers. Hij mocht best weten hoe Michiel daarover dacht, al had hij dan ook duizend keer Michiels naam niet tegen de Duitsers genoemd. Als hij meende dat Michiel daar dankbaar voor was, had hij het mis.

Zo droeg ook Michiel zijn kruis in deze oorlog en een licht kruis was het niet.

De kleine Jochem was een ondernemend jongetje. Op een dag, toen Erica en Michiel niet thuis waren en moeder druk bezig was in de keuken, besloot hij op het dak te klimmen. Daartoe begaf hij zich naar de zolderkamer van broer Michiel. Dat was verboden, maar Jochem was in zo'n bui dat hij elk verbod aan zijn laarsje lapte.

In Michiels kamer vergat hij een tijdje het doel van zijn bezoek, want zijn grote broer had allerlei interessante dingen die leuk zijn om eens even vast te pakken. Er was bijvoorbeeld een verzameling schelpen en een oude telefoon en een bos snoer en een atlas die open lag bij Frankrijk. Jochem raakte alles aan, kneep twee schelpen stuk, trok met een potlood een nieuwe grens tussen Frankrijk en Duitsland, als ware hij generaal Eisenhower, de opperbevelhebber van de geallieerde strijdkrachten, hield een telefoongesprek met zichzelf dat eindigde met de mededeling dat hij op het dak wilde klimmen en duwde toen het dakraam open.

Geweldig. Vanaf het bed kon hij gemakkelijk door het raam klimmen en enkele ogenblikken later zat hij in de goot. De goot was een beetje glibberig. Er lag natte, groene rommel in en ook dorre bladeren. Nou ja, glibberig of niet, het was hierboven te mooi om niet een kleine tocht door de goot te maken. Hij kon boven op het dak van de buren kijken – daar zou hij beslist over kunnen opscheppen tegen zijn buurjongetje Joost. Welgemoed ging hij de hoek om. Niet erg interessant, die zijkant van het huis. Hij keek pal tegen de blinde muur van het gemeentehuis op, wat had je daar nou aan. Spoedig bereikte hij de volgende hoek. Zo, nu was hij aan de straatkant, dat was aardig. Hij zag dat de bakker omhoog keek en toen zijn kar stilzette. En kijk daar eens, juffrouw Van de Ende komt uit haar huisje stormen met haar handen omhoog. Er komen nog meer mensen, die allemaal roepen. Wat willen ze toch? Zou er iets aan de hand zijn bij hun voordeur? Hij buigt zich voorover om over de rand van de goot te kijken. Dan pas ziet hij de duizelingwekkende afgrond die daar onder hem gaapt. Jakkes nog aan toe, als hij naar beneden valt, is hij vast dood. Hij krijgt nu ook in de gaten dat de mensen naar hem roepen.

Ineens wordt hij bang. Hij gaat op zijn knieën zitten en klemt zich vast aan de rand van de goot. Zijn onderlip begint te trillen en twee minuten later zit hij hevig te huilen.

Mevrouw Van Beusekom had even niet aan Jochem gedacht. Haar hoofd was vol zorgen om Erica en Michiel, van wie ze voelde dat ze dingen uitvoerden, waar zij niet van wist. Als altijd dwaalden haar gedachten daarna naar haar man, die dood was en die haar niet zou helpen bij de opvoeding van Jochem, die toch heus nog wel leiding nodig had. Hé, Jochem, waar zat hij nu weer? Ze liep naar de huiskamer, naar de tuin, ze keek in de schuur, opende de deur die toegang gaf tot de trap naar de kelder.

'Jochem!'

Geen antwoord.

Ze had haar voet al op de onderste tree van de trap om boven te gaan zoeken, toen de bel ging. Haastig knoopte ze haar schort los en deed open.

'Mevrouw, weet u dat uw zoontje op het dak zit?'

Ze holde naar buiten, waar zich al wel twintig mensen hadden verzameld, en keek omhoog. Haar hart sloeg over.

'Jochem, blijf rustig zitten, ik kom bij je.'

Moest *zij* hem van dat dak halen? Ze kon nog niet over een hekje van veertig centimeter klimmen en ze had al hoogtevrees als ze op een stoel stond.

'Die goot is zo rot als een mispel,' zei een van de mannen. 'Daar is de hele oorlog niks aan gedaan en in 1940 was 'ie al niet best meer. Je trapt er zo doorheen, wat ik je brom.'

'Mama,' huilde Jochem.

'Misschien kan het vanaf de nok, over de pannen,' zei een ander. 'Een paar man op de nok, en dan één zich laten zakken naar dat jochie aan een touw. Maar hoe kom je d'r op?'

'Aan de achterkant zit een dakraam,' zei mevrouw Van Beusekom haastig. 'Hebben jullie touw?'

'Bij me thuis wel,' zei de man. 'Ik zal het gaan halen.'

'Dat duurt te lang,' zei ineens iemand in het Duits. 'Het jongetje zit steeds meer te wiebelen. Hij valt zo naar beneden. Mevrouw, mag ik even door uw huis lopen?'

Het was een Duitse soldaat die had gesproken.

'Natuurlijk,' fluisterde Jochems moeder beteuterd.

De soldaat zette zijn fiets tegen het hek en liep op een drafje het huis in. Met twee, drie treden tegelijk holde hij de trappen op en nog geen minuut later wurmde hij zich door het dakraam. Voorzichtig liet hij zich in de goot zakken. Die boog griezelig door.

'Rot,' mompelde de soldaat. 'Oud en rot.'

Zo dicht mogelijk tegen de pannen geleund schoof hij door de goot, dezelfde weg die Jochem had genomen. Toen hij de voorkant van het huis bereikte, stond het buiten zwart van de mensen. Ook mevrouw Van Beusekom, die hem eerst achterna was gelopen, had zich weer bij de menigte gevoegd. Door het dakraam kon ze Jochem immers niet zien. Jochem zelf hield op met huilen, toen hij de man zag aankomen. Voetje voor voetje schoof de soldaat verder. Opeens klonk er een kreet van ontzetting door de menigte. De moedige Duitser trapte met zijn linker laars finaal door de vergane goot. Alleen door zich snel languit voorover te gooien, zodat hij in zijn volle lengte in de goot lag uitgestrekt, redde hij zijn leven.

Jochem was zich ook een ongeluk geschrokken toen die vreemde man ineens omviel in zijn richting, maar nu voelde hij een sterke hand om zijn linkerbeen. Dat was een heerlijk gevoel.

'Nou kroipen we zusammen verder,' zei de soldaat in gebroken

Nederlands. Zachtjes duwde hij Jochem voor zich uit. Ze gingen nu de andere kant van het huis om. De linkerknie van de soldaat hing boven de afgrond en met zijn voet haakte hij zich vast in de goot.

'Zo dadelijk duvelt die hele goot naar beneden,' mompelde de man beneden, die al eerder zijn twijfel over de kwaliteit van het zink had uitgesproken.

Mevrouw Van Beusekom stond met haar handen tegen haar borst geklemd, nauwelijks in staat adem te halen. 'Red hem, red hem, red hem,' bad ze in stilte.

Na wat een eeuwigheid leek, bereikte het tweetal de achterzijde van het burgemeestershuis. Voorzichtig ging de soldaat staan, leunend tegen de dakpannen en hij duwde Jochem op naar het dakraam. Even later was het jochie binnen, opgevangen door zijn moeder, die weer naar boven was gegaan. Ook de soldaat was spoedig daarna in veiligheid. Mevrouw Van Beusekom greep zijn hand.

'Ik weet niet wat ik moet zeggen,' stamelde ze.

De man lachte, kneep Jochem in zijn wang en liep met grote stappen naar beneden.

'Wacht, wacht,' riep mevrouw Van Beusekom, maar hij was de voordeur al uit en pakte zijn fiets. De mensen weken eerbiedig uiteen.

'Bravo,' zei iemand, maar die loftuiting verwaaide in de wind. De anderen waren als met stomheid geslagen. Een halve minuut later was de soldaat om de hoek verdwenen.

'Een Duitser?' vroeg Michiel in opperste verbazing. 'Een mof?'

'Een Duitse soldaat. Eén van Hitlers trawanten. Een vijand van ons volk.'

Mevrouw Van Beusekom zag nog bleek van de doorstane angst. Jochem niet. Die was het gebeurde al bijna vergeten.

Michiel ging naar buiten en keek omhoog... Hij zag de kapot getrapte goot. Hij zag hoe hoog het was. Nog steeds verbaasd zijn hoofd schuddend kwam hij weer binnen.

'Moeder, waarom moest een Duitser dat doen? Wat deden de andere mensen intussen? Stonden die maar zo'n beetje te kijken? Wat deed u zelf eigenlijk?'

'Ik wist dat ik het niet zou kunnen. Je weet hoe een held ik ben als er geklommen moet worden. De andere mensen stonden te praten en te overwegen, ik geloof dat ze ook niet durfden. Het was ook doodgriezelig. Heb je de plaats gezien waar hij door de goot is gezakt?'

'Jawel. Was het echt gevaarlijk?'

'Het is een wonder dat hij niet is doodgevallen.'

Intussen kwam Erica binnen en ook zij moest het verhaal direct horen. Haar eerste reactie was Jochem te gaan knuffelen. Dat het een Duitser was geweest die de redding had verricht, daar keek ze niet zo van op. Michiel wel. Hij kon er nog steeds niet over uit.

'Maar waaróm, waaróm heeft hij het gedaan?'

''t Was natuurlijk gewoon een aardige vent,' zei Erica.

'Een Duitser een aardige vent? Wat doet 'ie dan hier?'

'Michiel,' zei mevrouw Van Beusekom, 'er zijn tachtig miljoen Duitsers. En of je het nu leuk vindt of niet, daar zitten ook goeie mensen bij, mensen die ook niet blij zijn met deze oorlog. Wij houden niet van de Duitsers, jij niet en ik niet en Erica ook niet, maar deze ene Duitser zullen we dankbaar moeten zijn, hoe je het ook wendt of keert. *Ik* ben hem in ieder geval dankbaar.'

'Misschien maakte hij ook deel uit van het executiepeloton,' zei Michiel halsstarrig.

'Dat geloof ik niet. En zélfs... nee, dat geloof ik niet.'

'In een executiepeloton hoef je niet als je per se niet wilt,' zei Erica. Michiel zweeg. Het was zoveel gemakkelijker om alle Duitsers te haten. En nu moest hij in zijn hart toegeven dat deze soldaat zich heel wat edelmoediger had gedragen dan al hun buren bij elkaar. Hij keek naar het olijke witte kopje van zijn broertje. Een val van tien meter hoog op de keien...

‘Nou, deze éne dan,’ bromde hij. ‘De andere negenenzeventig miljoen negenhonderdnegenennegentig duizend negenhonderd-negenennegentig blijven moordenaars.’

‘Het zullen er een paar minder zijn,’ dacht moeder. ‘Maar goed, als er één schaap bij jou over de dam is, zullen er wel meer volgen. Kom, Jochem, naar bed.’

‘Ik ga niet meer op het dak,’ zei Jochem. ‘Behalve als die aardige meneer meegaat.’

11

Op een woensdagmiddag maakte Michiel zich klaar om naar Jack te gaan. In zijn fietstas stopte hij een rugzakje, waarin een paar boterhammen zaten, twee appels, een fles melk, een pannetje met gekookte, koude bruine bonen en een stuk ham. Geen slechte vangst deze keer, vond hij. Hij fietste in de richting van het Dagdaler Bos. Hij sloeg het pad, dat leidde naar de jonge dennenaanplant, echter niet meteen in, want er fietste iemand achter hem aan. In plaats van links ging hij rechtsaf. Na een paar honderd meter stopte hij en keerde terug. De Damakkerweg was nu verlaten en hij ging rechtdoor het bos in. Als gewoonlijk verstopte hij zijn fiets tussen de struiken en ging te voet verder. Zonder iemand tegen te komen bereikte hij het noordoostelijk vak, liet zich op zijn knieën zakken en begon de gebruikelijke sluiptocht. Jack hoorde hem, ondanks zijn vaardigheid in de tijgersluipgang, aankomen en wachtte hem op, staande in de opening van het hol.

'Schrik niet,' zei hij. 'We hebben een bezoeker.'

Ondanks de waarschuwing schrok Michiel toch. Erica kon het niet zijn. Ze was thuis geweest toen hij vertrok.

'Wie dan?'

'Kijk zelf maar.'

Hij ging het hol in en zag dat er iemand op het geïmproviseerde bed lag. Pas toen zijn ogen aan de duisternis waren gewend, zag hij wie het was.

'Dirk!'

'Dag Michiel.'

Dirk kwam half overeind. Wat zag hij eruit! Zijn neus stond scheef. Eén oog was niet te zien, zo gezwollen was het. Op zijn linkerwang zat een akelige rauwe plek. Zijn mond stond een eindje open – kon blijkbaar niet helemaal dicht.

'Dirk, wat hebben ze je toegetakeld.'
Dirk probeerde te glimlachen. Het werd meer een grijns.
'Ik heb gelukkig geen spiegel.'
'Ben je ontsnapt?'
'Ja. Uit de trein gesprongen. Gisternacht. Heb je iets te eten bij je? Ik heb al twee dagen lang niets gegeten. Gisteren heb ik me de hele dag schuilgehouden in een houtwal. Ik ben bijna bevroren. Vannacht ben ik hierheen gelopen. Geslópen, kun je beter zeggen.'
'Gedonderd kun je beter zeggen,' zei Jack. 'Ik had bijna hem doodgeschoten. Hij kwam breken door die sparren of hij was op z'n eentje een peloton infanterie.'
'Ik was bijna bewusteloos,' zei Dirk.
Michiel maakte haastig zijn rugzak open en begon Dirk te eten te geven.
'Zachte dingen, alsjeblieft. Die bruine bonen, dat is goed. En melk, heerlijk. Ik heb bijna geen tanden meer in m'n mond, weet je. Sorry, Jack, ik ben bang dat het grootste deel van de maaltijd je neus voorbijgaat, deze keer. Neem de appels, die kan ik toch niet bijten.'
'Never mind,' zei Jack.
'Ik breng wel meer,' zei Michiel, 'misschien vandaag nog, anders in ieder geval morgen.'
'Denk je dat je nog kunt brengen een deken?' vroeg Jack.
'Ik zal het proberen.'
Dirk at alles op wat hij maar enigszins kon kauwen.
'Het spijt me dat ik je kom storen, Jack,' zei hij toen. 'Ik eet je maaltijd op, ik lig op je bed, ik ben een lastpost, ik weet het.'
''t Is waarachtig je eigen hol,' zei Jack.
'Michiel heeft je goed verzorgd, hè?'
'Dat heeft 'ie.'
'En hij heeft je zelfs Nederlands geleerd.'
'Dat heeft hij vooral zelf gedaan, met behulp van een boekje,' zei Michiel bescheiden. 'Trouwens, hij zal ook wel het een en ander opgepikt hebben van ene Erica.'

'Van je zusje?'
'Het spijt me – ze is hier kind aan huis.'
'Spijt me niks,' zei Jack.
'Is het lek dan via Erica ontstaan?'
'Hoe bedoel je? Wat voor lek?'
'Nou, we zijn toch verraden.'
'Erica heeft niks verraden. Ze is er trouwens pas later bijgekomen.'
'Iemand moet ons toch verraden hebben? 't Is één grote, lekke troep geweest. Bijvoorbeeld, hoe kan het nou dat ze Bertus Hardhorend opgehaald hebben? Dat vertelde Jack me. Heb jij die brief aan iemand laten lezen, Michiel?'
'Nee, beslist niet. Dat weet ik zeker. Ik had hem verstopt in een van de leghokjes van de kippen. Maar jij, Dirk, heb jij... Ze hebben je zo geslagen. Heb jij de naam van Bertus niet genoemd? Ik dacht vast...'
Iedereen zweeg. Dirk had zich weer achterover laten vallen. Hij zag er afgemat uit en had zijn ogen gesloten.
'Ze hebben me vreselijk geslagen,' zei hij zacht, 'maar ik zweer jullie dat ik niks heb losgelaten.'
Hij begon zwaar te ademen door zijn misvormde neus. Jack maakte een gebaar naar Michiel dat betekende: laat hem maar met rust. 'Ik zal zien wat ik bij elkaar kan krijgen aan voedsel en dekens. Uiterlijk morgenmiddag kom ik terug,' fluisterde Michiel. 'Kunnen jullie je zo lang redden?'
Jack knikte.
'Neem maar geen onnodig risico. We fiksen het hier wel.'
'Oké, tot kijk. Verzorg hem maar goed.'
'Roger.'

Onmiddellijk begon Michiel met het verzamelen van zoveel mogelijk voedsel. Hij ging naar Coenen, een boer, waarmee hij goed was bevriend, en kocht spek, eieren, boter en kaas. Van de bakker bedelde hij een brood los. De grote kist op zolder leverde nog twee paardendekens op. Het inslaan van etenswaren kostte hem bijna al zijn geld; dat zou een probleem worden in de toekomst.

Helaas was het te laat geworden om nog naar het bos te gaan. Hij moest wachten tot de volgende morgen. Toen die was gekomen had hij het geluk, dat zijn moeder een uurtje wegging met Jochem. Dat gaf hem de gelegenheid de eieren te koken. Hij dacht er zelfs aan wat zout mee te nemen. Een probleem was hoe hij met zo'n groot pak ongemerkt het bos in moest komen. Het zou zeker opvallen als hij ermee rondfietste.

Hij besloot het te splitsen. Eerst ging hij met één deken, waarin hij een deel van de etenswaren had gestopt. Die verborg hij dicht bij de plaats, waar hij gewoonlijk zijn sluiptocht begon. Daarna haalde hij thuis de rest. Voor zover hij kon nagaan had niemand meer dan normale belangstelling voor hem getoond en om een uur of elf bewoog hij zich, moeizaam twee pakken meesleurend, door de jonge sparretjes.

Dirk bleek een beetje opgeknapt. Hij had wat meer kleur op zijn gezicht en keek wat helderder uit zijn ene oog (het andere zat dicht).

Tot Michiels verrassing was de hoeveelheid dorre bladeren verdubbeld.

'Hoe zit dat?' vroeg hij argwanend.

'Vanzelf aan komen waaien met een klein wervelstormpje,' zei Jack.

'Och toch. Bij ons thuis was 't bladstil.'

'Als je dan alles altijd precies moet weten, ik ben geslopen gisteravond in de schemering naar dat beukenbos, hier een eindje vandaan, en heb wat gehaald. Ik verzeker je dat niemand heeft mij gezien.'

'Ging het, met je been?'
'Best.'
'Gefeliciteerd.'
'Dank je.'
Michiel pakte uit en de loftuitingen van de twee jongemannen waren niet van de lucht. Daarna weigerden ze nog een woord te zeggen voor hun magen waren gevuld. Toen dat tot volle tevredenheid was gelukt, zei Michiel: 'Ik heb een probleem.'
'Ik ook,' zei Dirk. 'Wel zes. Wat is het jouwe?'
'Mijn geld is op. En ook al zijn de boeren hier geen afzetters, ik moet ze toch iéts betalen voor wat ik bij ze haal.'
'Ik weet een oplossing,' zei Dirk na enig nadenken.
'Mooi zo.'
'Ga naar mijn moeder. Ze moet toch weten dat ik veilig ben. Niet naar mijn vader, die zou alles verraden van de bangigheid. Moeder moet het maar aan vader vertellen, dan weet *hij* tenminste niet dat jij er iets mee te maken hebt. Zeg maar tegen moeder dat ik piekfijn in orde ben, en dat ik uit veiligheidsoverwegingen niet tevoorschijn kan komen. En dat ik iedere week een voedselpakket nodig heb dat jij wel bezorgd kunt krijgen. Je zult zien dat ze dat prima voor elkaar brengt.'
'Goed, dat doe ik.'
Een ogenblik wisten ze niets te zeggen.
'Wat voor weer is het?'
'Gaat wel. Bewolkt.'
'Da's beter dan helder. We kunnen geen vorst gebruiken, ook al heb je twee dekens meegebracht. Houden we het zo?'
'Zoveel verstand heb ik niet van het weer. En je weet dat we allang geen radio meer hebben.'
'Laat me zelf eens naar de lucht kijken.'
Dirk stond op en ging naar de ingang van het hol. Hij liep daarbij zó kreupel, dat Michiel er van op zijn onderlip moest bijten.

'Hebben ze dat ook...'
Dirk knikte.

'Begrijp je dat ik een rekening te vereffenen heb met de vent, die me heeft verraden? Ik zal je wat zeggen. Ik ben bij Stroe uit de trein gesprongen. Niet ver daar vandaan, in Garderen, woont een goeie vriend van me, waar ik wel had kunnen onderduiken. Maar ik ben hierheen gekomen. Ik ben vast van plan om uit te zoeken wie hier de verrader uithangt.'

'Schafter,' zei Michiel.

'Schafter? Hoe weet je dat? Volgens mij is Schafter...'

'Is Schafter wat?'

'Ik weet het niet. Misschien is hij wel fout, wie weet. 'k Had het nooit gedacht, ik dacht dat 'ie maar zo'n beetje deed alsóf 'ie fout was, waarom weet ik niet. Maar ik kan het mis hebben.'

'Je hebt het mis,' zei Michiel. 'Ik heb de bewijzen.'

'Kom op ermee.'

''t Is een heel verhaal. Vertel eerst jouw verhaal maar, dan kan ik daarop aansluiten.'

'Da's goed,' zei Dirk, 'daar gaat 'ie dan, ik zal bij het begin beginnen.'

Het verhaal van Dirk

'In het begin van de oorlog, zo in 1941, werkte ik in de bosbouw. Ik kreeg de opdracht drie percelen sparren te planten, hier, in het Dagdaler Bos. Ik was toen pas een jaar of achttien, en hoewel er van de oorlog bij ons nog niet veel te merken was, besloot ik in een romantische bui om een schuilplaats te graven. Je kon nooit weten waar het goed voor was. Midden in zo'n perceel dicht opeengepakte sparren, dat zou nooit iemand ontdekken. Ik vertelde er niemand iets van. Ook later, toen ik lid werd van de ondergrondse, heb ik het voor mezelf gehouden.

Die schuilplaats is me goed van pas gekomen toen ik Jack aantrof met een gebroken been en een gat in zijn schouder. Ik heb hem eerst in een koetsje naar een dokter gereden. Die dokter zat hier ergens ondergedoken. Korte tijd later is hij opgepakt. Hoe hij aan gips is gekomen, weet ik niet. Ik geloof dat hij zelf iets geprutst heeft met beenderlijm en krijt of zo.'

'Erica vond het al zulk vreemd gips,' zei Michiel.

'Hoe dan ook, Jack werd verbonden en ik heb hem naar dit hol gesleept.'

'Dat wisten we allemaal al,' zei Michiel.

'Ja, hoor eens, ik weet niet precies wat je allemaal weet. We zouden even volledig zijn, nietwaar?'

'Waar,' zei Michiel.

'Ik heb in de ondergrondse niets van Jack verteld,' vervolgde Dirk. 'Ik was er niet helemaal zeker van dat iedereen daar goudeerlijk was, weet je. Bij de ondergrondse hoorde bijvoorbeeld, hoort misschien nog wel, ene Schafter. Hij zei soms dat hij zo'n beetje met de Duitsers meepraatte om ze een rad voor de ogen te draaien. Ik heb dat altijd geloofd. Te oordelen naar wat jij gisteren opmerkte, Michiel, vrees ik dat ik te goedgelovig ben geweest.

Goed, ik vertelde dus niets over Jack en als je zo eens nagaat, is Jacks verblijf hier ook ongeveer het enige dat niet is uitgelekt. Dat geeft toch wel te denken.

Vorig najaar kregen we van onze commandant opdracht het distributiekantoor in Lagezande te overvallen. Met z'n drieën. Ik, Willem Stomp, die nu dood is, en iemand die is ontsnapt, wiens naam ik niet zal noemen. De commandant vond drie man wel genoeg. Hij zei dat verder niemand er iets van wist.'

'Heet die commandant meester Postma?'

Dirk keek Michiel geschrokken aan.

'Hoe weet je dat nou weer?'

'Geraden. Geeft niet, ga maar verder.'

'Ik dacht, áls er iets misgaat, dan komt Jack van honger om. Geef ik de brief die ik had geschreven, direct aan Bertus Hardhorend, die ook in het verzet zat, dan wist hij dat ik iets te verbergen had. Daar had ik geen zin in. Daarom heb ik hem jou gegeven, Michiel. Als alles goed was gegaan, dan had Bertus nooit iets van het bestaan van die brief geweten. Dat weet hij nu trouwens nog niet, volgens mij.

Ik vond jou, Michiel, altijd een rustige en voorzichtige indruk maken, en ik dacht dat ik je wel kon vertrouwen.'

'Dat kon je ook, al heb ik bijna alles verprutst,' zei Michiel bedroefd.

'Ik geloof je wel. Maar luister verder.

Bij het distributiekantoor in Lagezande liepen we regelrecht in een hinderlaag. Ze stonden op ons te wachten. Begrijp je wat dat betekent? Dat iemand ons had verraden. Maar wie? Wie wisten van de onderneming af? Wij drieën, die het moesten uitvoeren. Meneer Postma, die beweerde dat hij het verder aan niemand had verteld. En jij, Michiel. Meer niet.'

'Kan de derde man, die ontsnapt is, niet zogenáámd ontsnapt zijn, en eigenlijk het plan van tevoren hebben verraden?'

'Daar heb ik ook aan gedacht. Het lijkt me erg onwaarschijnlijk. Waarom, dat hoor je zo wel.'

'Hoe ging het bij die overval toe?'

'Dat is het nou juist. We hadden afgesproken dat de derde man op de uitkijk zou gaan staan en dat Willem en ik naar binnen zouden gaan. Waarschijnlijk hadden ze erop gerekend dat die derde man dicht bij de deur de wacht zou houden, want de Duitsers hadden zich verscholen achter de beukenhaag die vlak langs het distributiekantoor loopt. Maar wij hadden besloten dat hij in een grote kring om het gebouwtje heen zou lopen om te kijken of er niemand in de buurt kwam. Daarom was hij al achtergebleven, toen Willem en ik bij de deur aankwamen. We gooiden net de voordeur open, toen de Duitsers tevoorschijn sprongen. Er waren wel vijftien geweren op ons gericht. Ik was ervan overtuigd dat we geen schijn van kans hadden en stak mijn handen in de lucht. Maar Willem rende het kantoortje binnen, sprong over de toonbank, de deur door die naar een vertrekje aan de achterzijde leidt en daar probeerde hij door het raam te ontvluchten. Hij onderschatte de moffen deerlijk. Ze hadden achter het gebouwtje ook een paar mannetjes geplaatst en die schoten hem pardoes dood. Ik hoorde de schoten, maar toen wist ik nog niet wat er precies was gebeurd. Intussen duwden ze mij naar een overvalwagen. "Waar is de derde man," snauwden ze.

Ik hield me van de domme, zei dat ik geen Duits verstond – ik ken er ook niet veel van – en later zei ik dat we maar met z'n tweeën waren geweest. "De tweede hebben we al," grijnsden ze en ze gooiden het lichaam van Willem in de wagen. Ik wilde overeind komen van de bank waarop ik zat om te kijken of ik iets voor hem kon doen, maar ze sloegen me in het gezicht, en zeiden dat hij zo dood was als een pier. En toen begonnen ze weer over die derde man. Nou vraag ik jullie: hoe wisten ze zo nauwkeurig dat we met z'n drieën waren?'

Michiel en Jack wisten niets bij te dragen tot de discussie.

'Het was verraden, dat weet ik zeker. Ze wisten precies hoe de overval in elkaar was gezet. Misschien was het Schafter wel. Misschien heeft hij het gesprek tussen Postma en ons afgeluisterd. Misschien heeft hij een aantekening van Postma gevonden. Ik ben benieuwd wat jij daarover te vertellen hebt, Michiel. Ik wil het weten. Ik wil zekerheid. Want wat ik in mijn gevangenschap heb moeten meemaken, dat was zo... dat was zo allemachtig... De vent die me er in heeft geluisd zal zijn straf niet ontgaan.'

Dirk haalde eens hard zijn neus op en vervolgde toen zijn verhaal. 'Ze zochten nog een hele tijd, maar ten slotte gaven ze het op. En kijk, als nou die derde man het verraad had gepleegd, zouden ze dan zo lang naar hem hebben gezocht? Ze namen me mee naar de kazerne. Ze lieten me drie dagen zitten. Daarna begon de ondervraging.'

'Wacht eens even,' zei Michiel, 'bedoel je dat ze je niet direct hebben gevraagd naar Bertus Hardhorend en de ondergrondse en zo?'

'Nee, pas na drie dagen.'

'Hoe kwamen ze dan de volgende dag al op het idee om Bertus te halen? Eerlijk gezegd was ik ervan overtuigd, dat ze je zo hadden gemarteld, dat je zijn naam had genoemd. Ik hoop dat je me dat niet kwalijk neemt, maar jij hebt tenslotte ook gedacht, dat ik de brief aan iemand had laten lezen.'

'Ze hebben me pas na drie dagen iets gevraagd. Eerst ging het allemaal nog vrij netjes toe. Die commandant is niet zo'n slechte vent. Hij wilde natuurlijk weten of er een ondergrondse organisatie achter die overval zat. Ik ontkende. Ik zei dat Willem en ik het plan zelf hadden bedacht en uitgevoerd. Hij geloofde er niet veel van, maar kennelijk wist hij niet zéker dat ik loog. Daarna begon hij over die derde man. Ik ontkende weer dat er een derde man was geweest en het was duidelijk, dat hij toen wél zeker wist dat ik loog. Hij zei dat ik maar beter kon zeggen wie het was, omdat hij me anders zou overgeven aan de SS. Die wisten aardige middeltjes om iemand aan het praten te krijgen.

Die wisten ze. Ik werd overgebracht naar Amersfoort. Eerst lieten ze me weer een tijdje met rust. Daarna begonnen de verhoren bij de SS. Ik moest me daarbij altijd naakt uitkleden, dan konden ze beter met hun grote laarzen tegen me aantrappen.

'De naam,' brulden ze en als ik dan weer zei, dat we met z'n tweeën waren geweest, sloegen ze me tegen de grond en trapten met een man of drie tegen me aan, tegen mijn buik en tegen mijn gezicht, tot ik bewusteloos was.'

'En heb je die vent niet verraden?' vroeg Michiel, die bleek van ellende zat te luisteren. 'Waarom niet? Hoe kon je dat uithouden?'

'Ik weet het zelf niet,' zei Dirk. 'Altijd als ik dan weer gekneusd en krimpend van pijn op mijn krib lag, dacht ik: dit houd ik niet uit; de volgende keer zeg ik alles wat ik weet. Maar als ik de volgende keer hun gemene tronies weer zag, vertelde ik het toch niet.

Op een keer sloegen ze me niet. De SS-officier die me altijd ondervroeg, was poeslief. Hij had het over mijn bestwil en of ik de naam van die derde man nu maar niet zou noemen. Het enige wat 'm zou gebeuren was een jaartje gevangenisstraf. Hij deed zo sympathiek, dat ik er bijna was ingevlogen. Maar toen ik bedacht wat ze me allemaal hadden aangedaan, hield ik toch mijn mond. Toen kwam dat valse trekje weer op zijn gezicht. Ik dacht: nou begint het slaan weer, maar nee, hij fleemde dat ik me maar moest aankleden. Dat deed ik maar al te graag. Toen ik aan m'n sokken toe was, zei hij, dat ik daar nog even mee moest wachten. En of ik mijn rechtervoet eens even op zijn bureau wilde zetten. Dat deed ik. Hij nam een knuppeltje, wreef er zachtjes over, en vroeg toen fluwelig of er toch niet een derde man bij was geweest. "Nee," zei ik, "echt niet". Toen sloeg hij met z'n knuppeltje al m'n tenen kapot en nodigde me uit mijn andere voet op het bureau te zetten.'

'De schoft,' zei Michiel met witte ogen en Jack zat heftig te slikken.

'Enfin,' zei Dirk, 'mijn klompen waren aan de kleine kant, maar ik moest er toch in; m'n tenen zijn totaal vergroeid. Het gekke is dat ik het niet eens zo erg vond, omdat ze me een hele tijd met rust lieten. Ik had liever kapotte tenen dan om de dag een verhoor, dat kan ik je verzekeren.

Een paar dagen geleden werden we ineens op transport gesteld. Waar de tocht heenging, dat werd er niet bij gezegd. We werden in zo'n trein gestopt met afgescheiden coupés, waarbij iedere coupé z'n eigen deur heeft, weet je wel. Wij zaten met z'n negenen in zo'n coupé, met een gewapende ss-er. Ik was vastbesloten om als er zich maar even een gelegenheid voordeed, te proberen te ontsnappen. De meesten van die andere acht jongens zagen ernaar uit of ze ook wel eens verhoord waren. Als dat zo was, zouden ze zeker ook risico's durven nemen voor een ontvluchtingspoging.

Toen de trein zich in beweging had gezet, merkte ik al gauw dat we richting Apeldoorn gingen. Ik wist dat de trein Amersfoort-Apeldoorn een eindje langzaam rijdt in een bocht bij Stroe. Fluisterend – want we mochten niet praten – stelde ik voor op dat punt uit de trein te springen. Ik rekende er maar op, dat de ss-er geen Nederlands zou kennen. Dat kende hij inderdaad niet, maar hij had wel oren; ik kreeg direct een douw met de kolf van zijn geweer in m'n ribben. Maar de anderen hadden het al begrepen.

Toen we dicht bij Stroe waren, merkten we tot onze schrik, dat de deur op slot zat.'

'Kon je aan die deur morrelen, waar die soldaat bij zat?' vroeg Michiel.

'Die soldaat was toen al... Dat moet je nou maar niet vragen. Daar hadden twee jongens uit Rotterdam, die naast hem zaten, zich mee belast.

Goed, de deur zat op slot en dat was een hele schrik. Je hoeft niet te vragen wat ons te wachten had gestaan als ze ons in Apeldoorn met een dooie mof hadden gevonden. Maar ja, als je in nood zit, kun je veel en één van de jongens heeft kans gezien om nog vóór de bocht, met de bajonet van de soldaat, de deur open te krijgen. Toen de trein vaart minderde zijn we er achter elkaar uitgesprongen, alle negen. Eén heeft het niet overleefd. Hij kwam met zijn hoofd tegen een paaltje.'

'Zagen de Duitsers het niet?'

'Jawel. Ze schoten op ons door de raampjes. Maar het was vrij donker en de trein stopte gelukkig niet. Ze hebben niemand geraakt.

Verder hadden we overigens niet veel geluk. We zaten met z'n achten bij elkaar om te overleggen wat we zouden doen, samen optrekken of ieder voor zich, toen er een Duitse patrouille langs kwam. Stom toeval. Er werd natuurlijk wel meer langs de spoorlijn gepatrouilleerd, maar dat ze nu net op dat moment en op die plek moesten langskomen... Enfin, we hoorden ze aankomen en we doken in een greppel. Maar zij hadden kennelijk ook iets gehoord, want ineens schreeuwde één van die kerels: "Halt. Wachtwoord."

Hij had het amper gezegd of Krijn, een van ons, begint als een razende te schieten. Hij was vroeger commando of paratroeper geweest of zo iets en hij was zo handig geweest het machinegeweer van die mof uit de trein mee te nemen. Bij het eerste salvo schoot hij er minstens drie neer. De anderen gingen meteen in dekking en begonnen terug te schieten. Behalve Krijn kon niemand van ons iets doen, behalve ons zo klein mogelijk maken – we hadden geen wapens.

"Smeer 'm," schreeuwde Krijn. "Ik hou ze wel bezig."

Toen zijn we weggeslopen, door de greppel, en we hebben allemaal een goed heenkomen gezocht, ieder voor zich. Nog een heel tijdje heb ik horen schieten. Of Krijn het er levend heeft afgebracht weet ik niet, maar het zou me niet verbazen, want hij leek me een vent die nog niet bang was voor de duvel en z'n ouwe moer, zo één die niet dood te krijgen is.

Wat er verder is gebeurd, heb ik al verteld. Ik heb me een dag schuilgehouden in een houtwal en de nacht erna ben ik met grote moeite hierheen gekomen.'

Het vertellen had Dirk vermoeid. Hij liet zich achterover op de bladeren zakken, de handen achter het hoofd.

'Kun je nou haast niet lopen?' vroeg Michiel.

'Ik kan het nog wel zo'n beetje, anders was ik nooit vanaf Stroe hier gekomen. Na de oorlog kan de een of andere chirurg die tenen van me misschien wel weer goed krijgen. M'n ogen en m'n neus en zo, dat komt vanzelf wel weer in orde. Trouwens, het meeste van wat je aan m'n gezicht ziet, komt door de sprong uit de trein. Ik kwam een beetje ongelukkig terecht. Genoeg daarover. Het is verleden tijd, zo belangrijk is het niet. Wat ik wil weten is wie hier in de Vlank de verrader uithangt.'

'Ik hou het op Schafter,' zei Michiel.

'O ja? Dan moet je me eens uitleggen, waarom Schafter de hele ondergrondse hier niet heeft opgerold. Hij kende immers iedereen!'

Daar wist Michiel geen antwoord op.
'Zal ik nu mijn verhaal vertellen?' vroeg hij.
Dirk had zijn ogen gesloten.
'Beter morgen,' zei Jack.

12

Michiel kon het verhaal van Dirk niet van zich afzetten. De rest van de dag en de avond liep hij ermee rond. Zijn moeder merkte wel dat hij ergens over piekerde, maar ze vroeg niets.

Dus die dingen, die vreselijke dingen, gebeurden echt. Hij moest steeds denken aan zijn vader, die eens had gezegd: 'In iedere oorlog gebeuren afgrijselijke dingen. Denk niet dat alleen de Duitsers ze doen. Ook Nederlanders, Engelsen, Fransen, *ieder* volk heeft in tijden van oorlog rauwelings gemoord en gemarteld, op een manier, waar in tijden van vrede je verstand bij stilstaat. En daarom, Michiel, laat je niet misleiden door de romantiek van de oorlog, de romantiek van heldenmoed, opoffering, spanning, avontuur. Oorlog betekent verwondingen, verdriet, gemartel, gevangenissen, honger, ontberingen, onrecht. Niks romantisch aan.'

Hij zou zeker niet hebben verdragen wat Dirk had doorstaan. Zijn bewondering voor Dirk was groot. Wat heerlijk, dat hij nu tenminste was ontsnapt aan de handen van zijn beulen. Zijn moeder moest het zo gauw mogelijk weten. Hij hield het huis van de buren voortdurend in het oog. Laat in de middag zag hij dat Knopper de deur uitging. Snel wipte hij over de heg. Hij trof Dirks moeder aan bij haar achterdeur; ze zette net een pannetje schillen buiten.

'Ik heb een berichtje voor u,' zei hij. 'Mag ik even binnenkomen?'

'Een berichtje? Van Dirk?'

Michiel knikte. Ze liepen samen naar de keuken.

'Is het een slecht bericht? En hoe kom je er eigenlijk aan?'

'Het is een goed bericht,' zei Michiel. 'Een erg goed bericht zelfs. Maar u moet me beloven dat u erover zult zwijgen als het graf en dat u me niks zult vragen.'

'Goed, goed,' zei mevrouw Knopper.

‘Dirk is ontsnapt. Hij is op het ogenblik veilig.’

Mevrouw Knopper vergat haar belofte onmiddellijk.

‘Waar is hij dan? Hoe weet jij het? Is hij gezond? Kan ik hem zien? Hoe is hij ontsnapt? Waarom is hij niet hier gekomen?’

‘Dat is natuurlijk te gevaarlijk,’ zei Michiel. ‘Hij is redelijk gezond, dat is alles wat ik u kan zeggen. En hij heeft eten nodig. Hij vraagt of u iedere week een voedselpakket voor hem kunt klaarmaken. Ik kan zorgen dat het hem bereikt.’

‘Natuurlijk zal ik dat doen. Graag zelfs. Ik mag het mijn man toch wel vertellen?’

‘U mag wel vertellen dat Dirk veilig is, maar niet dat u dat via mij te weten bent gekomen. Verder mag niemand er iets over horen.’

‘Ik hou mijn mond. Vertel me dan alléén nog of hij hier is, in de Vlank.’

‘Hij zit in de kerktoren van Lutjebroek,’ zei Michiel. ‘Dag, mevrouw Knopper. En denkt u er goed aan: niet tegen uw man zeggen dat u ’t van mij hebt gehoord.’

‘Nee, dat zal ik niet doen. Morgen heb ik een voedselpakket klaar. Kun je me niet íéts meer vertellen, Michiel? Kan ik hem niet opzoeken?’

‘Nee, dat gaat echt niet, het spijt me. Maar ’t is heus veiliger zo,’ zei Michiel. ‘En nu moet ik er als een haas vandoor.’

‘Dag Michiel. Bedankt, jongen. Ik ben toch zo blij.’

Michiel vertrok met een licht hart. Hij was ervan overtuigd dat Dirks moeder zó veel zou klaarmaken, dat hij ook van het voedselprobleem-Jack was verlost.

De volgende dag was het Erica’s beurt om naar het hol te gaan. Michiel besloot haar alles te vertellen; het zou immers onmogelijk zijn Dirks aanwezigheid voor haar verborgen te houden. Daarom gingen ze de volgende dag samen, dat wil zeggen, Michiel eerst met het pakket van Dirks moeder en een minuut of tien later Erica.

Dirk voelde zich wat beter dan de dag ervoor. Hij stond erop, dat nu Michiel alles zou vertellen. Dat deed Michiel uitvoerig. Hij beschreef precies, waar Dirks brief van minuut tot minuut was geweest, hij schetste hoe het had tegengezeten de dag dat hij naar Bertus had willen gaan en vooral hoe Schafter met hem was meegefietst, hoe hij ten slotte de volgende dag bij Jannechien was beland en dat het weer Schafter was, die de Duitsers het Driekusmansweg-je had gewezen.

Dirk was niet onder de indruk. Het kon allemaal best toeval zijn, vond hij. Maar toen Michiel had verteld over het Koppelse Veer, over de arrestatie van veerman Van Dijk en de dood van de barones, en vooral over zijn gesprek met Schafter kort ervoor, toen vond hij toch dat dit allemaal erg verdacht was.

'Hoe moeten we het bewijzen?' vroeg Michiel zich af.

'Moeilijk,' vond Dirk. 'Erg moeilijk. In ieder geval, Michiel, zou ik je willen vragen naar de commandant te gaan (hij zei de commandant in plaats van Postma in verband met Erica, die dit niet hoefde te weten) en hem te vertellen, dat hij moet uitkijken met Schafter. Zeg maar dat het een boodschap is, die afkomstig is van Witte Leghorn, en dat je hem via een kennis hebt gekregen.'

'Via oom Ben of zo,' zei Michiel. 'Die is ook bij de ondergrondse. Witte Leghorn, is dat jouw schuilnaam in het verzet?'

Dirk knikte.

Ze praatten een tijdje over van alles en nog wat. Natuurlijk kwam het gesprek ook weer op de dood van Michiels en Erica's vader.

'Waaróm hebben ze eigenlijk gijzelaars genomen?' wilde Dirk weten. 'Er was een dooie Duitser gevonden in het bos, niet eens zo ver van hier,' vertelde Michiel. 'Zijn hoofd was ingeslagen. Ze wilden natuurlijk weten wie dat had gedaan. Ze hebben toen tien mannen gegijzeld met de mededeling erbij, dat, als de dader zich niet binnen 24 uur zou melden, ze die tien mannen zouden ophangen aan de kastanjebomen op de Brink. Natuurlijk heeft de dader zich niet gemeld, zo laf was hij wel. Ze hebben vijf mannen doodgeschoten, waarbij mijn vader. Niet opgehangen, dat zou nog erger zijn geweest. Zeg, wat is er met jullie?'

Dirk en Jack waren doodsbleek geworden en staarden Michiel en Erica met grauwe ogen aan.

'Jullie wisten het toch al?' zei Erica.

Geen van beiden zei iets. Erica keek van de één naar de ander. Opeens liet Dirk zich vallen, met zijn hoofd op zijn armen, en hij snikte als een kind. Zijn hele lijf schokte. Jack ging in een hoek zitten. Hij verborg zijn hoofd in zijn handen.

'Trekken jullie je het zó aan?' vroeg Michiel hulpeloos.

Maar in Erica rees een vreselijk vermoeden. Ze liep naar Jack toe en schudde hem aan zijn schouder heen en weer.

'Hebben jullie...?'

Ze trok zijn handen weg van zijn gezicht. Wanhopig keek hij haar aan.

'Hebben jullie die Duitser doodgeslagen?'

'Yes,' fluisterde Jack.

Erica liet hem los. Alsof ze in trance was liep ze het hol uit. Maar Michiel verloor zelfs op dit ogenblik de voorzichtigheid niet uit het oog. Hij liep haar achterna en trok haar naar beneden.

'Bukken. Je steekt boven de sparren uit.'

Erica liet zich vallen en kroop op haar buik tussen de stammetjes door. Michiel erachteraan. Ze zochten hun fietsen op en reden naast elkaar, zwijgend, naar het dorp.

'Niet naar huis,' zei Michiel toen ze in de dorpsstraat kwamen. 'We moeten kunnen praten.'

Ze fietsten hun huis voorbij en gingen, zonder het af te hoeven spreken, automatisch haast, naar de Wigwam. Dat was een niet meer gebruikte, half vergane schuur aan de Veldweg, waar Erica en Michiel vroeger, toen ze kleine kinderen waren en nog met elkaar speelden, een geheim hol hadden. Honderden avonturen hadden ze daar bedacht en sommige ook echt beleefd. Soms kwamen ze er tijdenlang niet, omdat Erica druk was met haar eigen vriendinnen of Michiel niks van 'meidengedoe' moest hebben. Maar altijd kwam er weer een moment, dat ze het liefst met elkaar speelden. Dan trokken ze naar de Wigwam.

Wanneer waren ze er het laatst geweest? Dat moest alweer jaren geleden zijn. Ze gooiden hun fietsen tegen het prikkeldraad dat de aangrenzende weide afbakende en gingen naar binnen. Alles was nog net als vroeger, alleen was het schuurtje nog bouwvalliger geworden.

Erica ging op een omgekeerde, verroeste emmer zitten. Michiel bleef heen en weer lopen.

'Ik kan ze dit nóóit vergeven,' zei Erica.

'Het is een lage rotstreek,' vond ook Michiel. 'Ze hadden kunnen weten, in ieder geval had Dirk kunnen weten, dat er bij ontdekking zo iets zou gebeuren als er *is* gebeurd... Toch kun je niet zeggen dat Dirk een lafaard is. Bedenk maar eens wat hij allemaal heeft doorstaan zonder de naam van die derde man te noemen.'

'Dat betekent nog niet dat hij zich zou hebben aangegeven als hij niet gevangen had gezeten, toen ze dat lijk ontdekten. Hij had zich direct moeten aangeven, nadat hij het had gedaan. In ieder geval had Jack zich kunnen aangeven. Hij is militair. Hém zouden ze de kogel niet hebben gegeven, omdat hij een Duitse soldaat had gedood. Dat mag, als militairen onder elkaar.'

'Ja,' zei Michiel, 'maar misschien hebben ze dat niet allemaal zo precies bedacht.'

'Ik snap jou niet,' bitste Erica. 'Twee maanden geleden nog zei je, dat, als je de vent die het had gedaan in je vingers kreeg, je hem tot moes zou slaan. En nu verdedig je die twee.'

'Wat stel jij voor? Wil je hen uitleveren aan de moffen?'

'Ben je nou gek geworden!'

'Ze zijn van ons afhankelijk. Als wij niet voor hen zorgen, kun je ze bijna net zo goed meteen bij de moffen afleveren.'

Erica verzonk in gepeins.

'Ik vind het minstens zo erg als jij,' zei Michiel. 'Ik hield minstens evenveel van vader als jij. Maar ik heb ook gisteren uit Dirks mond gehoord, wat hij heeft moeten meemaken. Een halfuur geleden vond ik hem nog de flinkste kerel van de wereld. Hij heeft stom gedaan, maar daarmee is hij nog niet zwak of laf. Hoe stom heb ik zelf niet gedaan. Op de een of andere manier heb ik schuld aan het gevangen nemen van Bertus Hardhorend en aan de dood van de barones.'

'Volgens mij kun je daar niets aan doen.'

'Zag je hoe wanhopig Dirk was? Hij huilde waarachtig.'

'Dat komt natuurlijk, omdat hij verzwakt is,' zei Erica. 'Hij is helemaal kapot. Hij heeft geen weerstand meer.'

'Verzwakt of niet, je kunt er toch aan merken dat hij het vreselijk vindt.'

'Je kunt er ook aan merken dat hij schuld heeft.'

Ze zwegen weer een poosje.

'Ze zitten natuurlijk in hevige angst en onzekerheid, nu wij er vandoor zijn gegaan,' bedacht Erica.

'Daar kan ik me niet druk over maken,' zei Michiel, op zijn beurt hard. 'Toen vader gegijzeld was, zaten wij in angst en onzekerheid.'

'Dat was erg,' fluisterde Erica, 'dat was vreselijk. Echt niet iets om een ander te gunnen...'

Michiel keek haar aan. De goedhartigheid van zijn zusje brak alweer door.

'We zouden ze tenminste de kans kunnen geven om te vertellen wat er precies is gebeurd,' zei hij.

'Vind je?'

'Ja, dat vind ik wel.'

'O,' zei Erica.

'Zullen we ernaartoe gaan?'

'Nu meteen?'

'Of ze nog een nachtje in onzekerheid laten?'

'Nou, nee,' zei Erica.

Met een bleek glimlachje stond ze op. Ze pakte haar broers hand. 'Jij was toch de leider van onze verzetsgroep? Ik volg je.'

Ze stapten op hun fietsen en reden terug naar het Dagdaler Bos. En dat was een daad, waar heel wat volwassen personen met wraakgevoelens een voorbeeld aan zouden kunnen nemen.

Dirk was tot bedaren gekomen. Hij zat met sombere ogen voor zich uit te staren, maar hij had zijn oude beheersing hervonden. Van Jacks flegmatisch gezicht was weinig af te lezen.

'We luisteren,' zei Michiel.

'Ik zal eerst vertellen mijn deel,' zei Jack. 'Jullie weten dat ik piloot ben. Ik vloog op een Spitfire. Mijn squadron was tijdelijk gelegerd op een noodvliegveldje in het zuiden van jullie land, bij Eindhoven. Die bewuste dag kreeg ik de opdracht te maken een vlucht boven de IJssel en kapot te schieten alles wat ik zag aan gemotoriseerd vervoer. Eerst alles ging goed. Bij Hattum zag ik een Duitse personenauto. Toen ze me ontdekten, de mannetjes vluchtten eruit en verdwenen tussen de struiken. Het was toen een klein kunstje voor me om de auto te schieten in brand. Veel ammunitie kostte het niet en ik had voldoende over om nog door te gaan.

Maar boven Zwolle begon het lieve leven. Ze kregen me in de gaten en de kogels van het afweergeschut floten om m'n oren. Ik probeerde te maken dat ik wegkwam, maar ja hoor, ze raakten de staart van m'n toestel. Ik had nog aardig wat hoogte en ik wilde proberen buiten het bezette gebied te komen, ook al werkte het richtingsroer niet zo best meer. Daarom ik vloog regelrecht naar het Zuiden. Helaas, ik was nog maar net buiten het bereik van het afweergeschut, toen mijn motor vloog in brand. Blijkbaar was ook de benzinetank geraakt en had de weglopende benzine brand veroorzaakt. Ik toen moest maken dat ik eruit kwam als de bliksem, dat begrijp je. Onder me zag ik bos. Leuk is dat niet voor een parachutist, maar wat moest ik. Ik had geen keus.

Gelukkig ging mijn parachute goed open. Dat wordt krijgsgevangenschap, Jackie, dacht ik, terwijl ik zweefde naar beneden, maar toen ik niet kon ontdekken een enkel open plekje en alleen boomkruinen onder me, veranderde die gedachte gaandeweg in dat wordt een klein wit kruisje op een kerkhofje in een Nederlands dorpje, Jackie. Ik kwam terecht in een grote eik. Mijn voet raakte vast in de vork van twee takken, de rest van mijn lichaam schoot door en krik, mijn been brak als een lucifershoutje. Daar ik hing, mijn hoofd naar beneden, aan m'n gebroken been. Ik vond dat de wereld stond op z'n kop. 't Was niet prettig.

Ineens ik zag tot m'n schrik dat er beneden, bij de voet van de eik, een Duitse soldaat stond. Hij had een pistool in zijn hand en mikte op me. "Don't shoot," schreeuwde ik, want ik kende toen de woorden "niet schieten" natuurlijk nog niet. O nee, dat had niet geholpen; 't had gemoeten in 't Duits. Hoe dan ook, de smeerlap schoot wel. Ik voelde een klap op mijn schouder en toen ik ben geraakt bewusteloos, geloof ik. Wel ik dacht nog gauw even dat ik was dood, dat ik me herinner. Maar de verdere gebeurtenissen kan ik niet rapporteren uit eigen waarneming.'

De blikken van Erica en Michiel, die aandachtig hadden geluisterd, richtten zich gelijktijdig op Dirk. Die schraapte zijn keel.

'Ja,' zei hij, 'nou ik. Ik was die dag in het bos om op te nemen, waar moest worden uitgedund. Mijn kapmes had ik bij me. Ik ben gewend om op allerlei geluiden te letten, en op een gegeven moment hoorde ik enig gerucht. Ik dacht dat het een ree was en ik wilde proberen of ik het dier zou kunnen raken met mijn kapmes. Ik heb me, voor de grap eerst, later ook wel met serieuzere bedoelingen, geoefend in het gooien ermee. We zouden het vlees van een ree maar al te best kunnen gebruiken.

Goed, ik sloop dus zo zachtjes mogelijk op het gerucht af. Nog geen seconde nadat ik ontdekte dat het een Duitse soldaat was, die lag te vrijen met een meisje dat ik niet kende, gebeurde er iets zeer onverwachts. Schuin boven me klonk een breken van takken en een geschreeuw waar we ons kennelijk alle drie, de Duitser, het meisje en ik, lens van schrokken. Dat geschreeuw moeten kreten van pijn van jou zijn geweest, Jack, toen je je been brak. Maar ik moet zeggen, het maakte die eerste seconden de indruk alsof de duivel in hoogst eigen persoon op ons neerdaalde.

Het meisje sprong overeind en holde jammerend weg. Ik heb haar niet weer gezien. De soldaat was ook overeind gesprongen. Ik zag dat hij een pistool tevoorschijn haalde. Hij voelde zich kennelijk bedreigd. Toen hoorde ik een kreet in het Engels, dat zal dan wel "don't shoot" geweest zijn, en ik realiseerde me dat het wonderlijke, op zijn kop hangende, half door de parachute bedekte verschijnsel een piloot van het geallieerde leger moest zijn geweest, die uit een aangeschoten vliegtuig was gesprongen. Intussen schoot de Duitser en dat maakte me razend. Ik neem aan dat de man in zijn angst en verwarring heeft gehandeld, maar het kan ook zijn dat hij gewoon moordlustig was. Dat komt meer voor bij onze Germaanse vrienden. In ieder geval, toen hij voor de tweede maal aanlegde, zwaaide ik mijn kapmes en slingerde het naar hem toe. Ik had nog nooit in mijn leven zo goed gegooid. Ik raakte hem precies op zijn achterhoofd. Had hij zijn helm opgehad, dan was er niets gebeurd, maar die had hij bij het vrijen afgezet. Het ding lag nog in het gras. Nu was hij morsdood.

Ik begreep dat ik in een verschrikkelijke situatie verzeild was geraakt. Een zwaargewonde Engelse piloot, die bovendien nog op zijn kop en bewusteloos in een boom hing, en die ik uit handen van de bezetters moest proberen te houden. En het lijk van een door mij gedode Duitse soldaat, waarvoor ik bij ontdekking zonder vorm van proces tegen de muur zou gaan. Voor het verbergen van de piloot trouwens ook. Ik ben in de boom geklommen. Ik heb een stuk touw van de parachute gesneden en dat aan Jack vastgebonden. Daarna heb ik het een paar maal om een tak geslagen, zodat ik het langzaam zou kunnen laten vieren. Het was een rotwerk om de vastgeklemde voet los te maken, ten eerste omdat ik er haast niet bij kon en ten tweede, omdat ik daardoor aan dat griezelige gebroken been moest zwengelen. Gelukkig bleef Jack bewusteloos.

Hoe dan ook, ik heb hem beneden gekregen. Van mijn hemd heb ik een noodverband gemaakt en daarmee zijn gewonde schouder verbonden. Toen ik daarmee klaar was, kwam hij bij. Helaas konden we geen woord wisselen, omdat ik geen Engels ken. Maar hij begreep best dat ik met die dooie mof in m'n maag zat.'

'Gek veel begreep ik niet,' zei Jack, 'want ik crepeerde van de pijn aan m'n been.'

'Je maakte toch een gebaar van begraven,' zei Dirk. 'Ik begreep best dat het vinden van een vermoorde mof groot gevaar voor het dorp zou opleveren. Ik heb van alles overwogen, zelfs om mezelf aan te geven, dat zweer ik jullie. Maar zo gemakkelijk is het niet om regelrecht je dood tegemoet te lopen.

Ten slotte dacht ik een goeie oplossing te hebben gevonden. Kijk eens, dacht ik, als een piloot een Duitser heeft gedood, is dat een gewone krijgsdaad. Daar kan het dorp niets aan doen. Helaas kon ik dat Jack niet allemaal uitleggen. Toen heb ik bedacht, dat ik het lijk zou wikkelen in de parachute. Het kon de Duitsers niet ontgaan dat er een vliegtuig in het bos was neergestort. Als ze nu een dooie Duitser zouden vinden, gewikkeld in een Engelse parachute, zouden ze dan niet de conclusie moeten trekken dat die soldaat de verliezer was geweest van een handgemeen met de piloot? Zo goed ik kon heb ik een gat gegraven met m'n kapmes. Door alle boomwortels kon ik het niet erg diep krijgen. Ik heb de Duitser in de parachute erin gestopt en bedekt met een laagje aarde. Ik heb hem niets afgenomen, behalve zijn pistool. Het is het pistool dat Jack aan z'n riem heeft hangen.'

'Ik heb niets gehoord van een parachute die bij het lijk is gevonden,' zei Michiel.

'Misschien heeft iemand hem al eerder gevonden en de parachute meegenomen,' dacht Erica. 'Je weet hoe gevraagd die parachutestof is.'

'Dat zou kunnen,' zei Michiel.

'Ik heb al verteld hoe ik Jack in een koetsje naar een ondergedoken dokter heb gebracht en daarna met grote moeite naar het hol heb gesleept,' besloot Dirk zijn verhaal. 'Enkele weken later ben ik zelf gevangengenomen.

Nu weten jullie alles.

En ik ook.

Ik weet dat ik me toch had moeten aangeven.'

Er was toch iets tussen hen gekomen. Tussen Michiel en Dirk en tussen Erica en Jack. Van 'schuld' kon je niet meer spreken, na wat Dirk had verteld. Je kon toch niet zeggen, als je redelijk was tenminste, dat Jack of Dirk slecht hadden gehandeld. Jack al helemáál niet. Die was er te slecht aan toe geweest om ergens weet van te hebben. En Dirk... Dirk verdiende eigenlijk een medaille voor zijn doortastend en moedig optreden, peinsde Michiel. En toch stond nu tussen hen de dood van zijn vader. Alles wat mooi en edelmoedig en heldhaftig lijkt aan de oorlog, dacht Michiel bitter, wordt op de een of andere manier toch weer bedorven. Mijn vader had gelijk: echte romantiek is er aan de oorlog niet te beleven.

Hij en Erica hadden, na de verhalen van Jack en Dirk, luidruchtig verklaard dat er niks te veroordelen viel, dat ze niet zo onbeheerst weg hadden mogen lopen, dat Dirk heel goed had gehandeld en dat, áls er al een schuldige was, het degene was die de parachute had gestolen. Of schuldig – onverantwoordelijk, onnadenkend, zou je kunnen zeggen. Die vent had op zijn minst moeten vertellen aan de Duitsers dat er een parachute om het lijk gewikkeld was geweest. Ze hadden Dirk bezworen dat hij moest ophouden zichzelf verwijten te maken. Ze hadden zelfs grappen gemaakt over Jack, die zo nodig vanuit de lucht vrijende paartjes moesten beloeren. En toch...

’t Zal moeten slijten, dacht Erica. Ik zal aan het idee wennen. Jack is immers dezelfde gebleven. Hij heeft niets verkeerds gedaan. Nou dan! En onverdroten gingen broer en zuster voort met hun twee oudere vrienden van voedsel te voorzien.

‘Al is konijnen houden wel gemakkelijker,’ zei Michiel.

13

Zelfs in tijden van duisternis, honger en gevaar blijft de klok lopen. Januari ging voorbij. Februari ging voorbij. De stroom hongerenden uit het westen werd breder en bewoog langzamer. De mensen waren zwak en mager. De sterksten, de jongemannen, waren óf naar Duitsland gesleept, óf moesten zich schuilhouden. Een nieuwe burgemeester werd niet benoemd. Mevrouw Van Beusekom woonde nog met haar kinderen in het burgemeestershuis, dat iedere avond volstroomde met hologige, strompelende, uitgeputte mensen. Michiel dacht nog steeds aan het verraad. Duizend keer had hij alles bij zichzelf gerepeteerd. Duizend keer kwam hij terecht bij Schafter. En duizend keer had hij geen zekerheid.

Op een zondagmiddag maakte hij een wandelingetje met oom Ben. Ze liepen door de velden, waar de winterrogge alweer lekker groen op stond. Ze liepen langs de weilanden waar de éénjarige koeien, de pinken, van de maartse vlagen geen last schenen te hebben.

'De knoppen zwellen,' zei oom Ben, terwijl hij een takje van een vlierstruik brak. 'Het voorjaar staat voor de deur. Het wordt tijd. De mensen in de grote steden hebben deze winter bittere kou geleden. Er zijn geen kolen meer. Massa's bomen in stadsparken zijn gekapt. Houten schuren zijn afgebroken. De mensen hebben alles gedaan om maar een vuurtje in de kachel te krijgen, waar ze hun verkleumde botten bij kunnen warmen en hun tulpenbollensoep op kunnen koken.'

'Tulpenbollensoep?'

'Ja, joh, tulpenbollen zijn een lekkernij geworden. Ken je het verhaal van het beleg om Leiden nog? Toen aten de mensen honden en katten en ratten en bijna hun burgemeester. Zover is het nu nog niet gekomen, maar het scheelt niet veel meer.'

'Tja,' zei Michiel. Dat de mensen honger hadden, was hem niet onbekend. Weinigen hielden zich zo intensief bezig met het dagelijks langstrekkend hongerleger, als hij.

'Wanneer is volgens u de oorlog afgelopen?' informeerde hij. Oom Ben haalde de schouders op.

'Ik ken een waarzegster die al vier maal met zekerheid de datum heeft voorspeld, waarop Hitler zou capituleren. Steeds worden haar data door de feiten achterhaald.'

'Iedereen zegt dat het niet lang meer kan duren. De geallieerden gaan recht op Berlijn af en de Russen ook, zegt men.'

'Juich maar niet te vroeg,' zei oom Ben. 'Heb je gehoord van het Ardennenoffensief?'

'Nee, wat is dat?'

'Op 16 december zijn de Duitse troepen, met behulp van een tankeenheid, onder leiding van generaal Von Manteuffel, een zeer krachtig offensief begonnen in België, in de Ardennen. De geallieerden zijn zich een hoedje geschrokken. Ze wisten niet dat de moffen nog zó sterk waren. Gelukkig is het mislukt, omdat de Duitsers Bastogne niet konden innemen. Anders had ik het nog niet geweten. En vergeet ook de geheime wapens niet, de V1's en V2's. Steeds meer van die gemene raketten komen op Londen neer. Men fluistert over een atoombom. Dat moet een vreselijke bom zijn, als het lukt hem te maken. Ze zeggen dat één zo'n bommetje een hele stad zou kunnen verwoesten.'

'Hebben de Amerikanen dan geen geheime wapens?'

'Ik weet het niet. Ik hoop het wel.'

Een tijdje zwegen ze. Dus volgens oom Ben kon de oorlog nog een hele tijd duren, dacht Michiel. Een hele tijd voor Schafter of een ander om gemene streken uit te halen.

'Ik wou,' piekerde hij hardop, 'dat ik een middeltje wist om uit te vinden of iemand een verrader is.'

'Een verrader? Wie?'

'Iemand hier in het dorp.'

'Wat heeft 'ie dan verraden?'

'Och, dat doet er niet toe,' zei Michiel.

'Ik heb ook eens zo iets bij de hand gehad,' vertelde oom Ben.

'O ja? Hoe dan?'

'De vent zat in dezelfde ondergrondse verzetsgroep als ik, maar ik vertrouwde hem niet. Toen heb ik zogenaamd per ongeluk een briefje laten slingeren op een plek, waar ik wist dat hij het zou vinden. Op dat briefje stond dat een bepaalde familie joden verborgen hield. Mooi was er de volgende dag een overval in dat huis.'

'En die joden?' vroeg Michiel.

'Die waren er natuurlijk niet. Ik had een familie uitgezocht, waarvan ik wist dat ze pro-Duits waren. Maar ik wist genoeg.'

'Wat hebt u toen gedaan?'

'Dat doet er niet toe,' zei oom Ben op zijn beurt en hij lachte fijntjes.

Het idee sprak Michiel aan. Zo iets moest hij met Schafter kunnen doen. Hoe kreeg hij een briefje bij Schafter? Dat zou hij gewoon in de brievenbus kunnen gooien. Als hij op de loer ging staan tot Schafter het huis verliet, dan kon hij het best ongemerkt doen. Schafter woonde alleen, dus dat was geen probleem.

Maar wat moest er in dat briefje staan? Geachte heer Schafter, hierbij deel ik u mede dat mevrouw X joden in huis heeft, hoogachtend, Michiel van Beusekom? Onzin natuurlijk.

Wat dan?

Om te beginnen hoefde hij niet te ondertekenen. Een anoniem briefje. Als Schafter er niet op reageerde was er nog geen kind overboord. Maar wie kon hij een overval op z'n dak sturen? Hij wist van niemand zeker dat 'ie pro-Duits was, behalve van Schafter zelf dan.

'Hoe weet je nou zeker of iemand pro-Duits is?' zei hij hardop.

'Tja,' zei oom Ben, 'da's moeilijk. Heb ik je niet eens horen zeggen dat ene Schafter hier in het dorp verdacht is?'

'Jawel,' zei Michiel, 'maar ik weet 't niet zeker.' Hij gaf zich niet bloot. 'Veronderstel eens dat hij toch joden in huis heeft, dat zou ik mezelf nooit vergeven.'

'Tja,' zei oom Ben nog eens.

Hij dacht even na.

'Het hoeven natuurlijk geen joden te zijn,' zei hij toen. 'Je kunt best iets anders verzinnen. Bijvoorbeeld dat er wapens verborgen zijn in het gebouwtje van het Groene Kruis, vlak bij jullie huis. Dat staat immers leeg? Laat ze daar maar rustig een overval doen!'

Michiel had zijn oom nooit een sukkel gevonden, maar nu begon hij te denken dat hij naast een genie liep.

'Buitengewoon,' zei hij. 'Ik stuur de man die ik verdenk een anoniem briefje en dan zullen we eens kijken wat er gebeurt.'

Oom Ben keek hem eens van opzij aan.

'Zeg, jonge vriend,' informeerde hij, 'ik wil me niet met je zaken bemoeien, maar bemoei jij je niet te veel met zaken waar je te jong voor bent?'

'Ik ben niet jong,' zei Michiel verontwaardigd. 'Ik ben zestien.'

'Ik sta paf,' zei oom Ben. 'Kerel, wat een leeftijd. Je wordt al grijs aan de slapen. Of zijn het verdroogde nesthaartjes?'

Dat was voor Michiel reden om tegen de stam van een boom te schoppen, zodat zijn oom, die er net onderdoor liep, een regen van druppeltjes op zijn hoofd kreeg.

Thuis ging hij meteen aan de slag. Na een paar mislukte pogingen had hij, met verdraaid handschrift, het volgende op papier gezet.

De bezetter moet weten dat in het gebouwtje van het
Groene Kruis wapens zijn verborgen.

W.

Die W was om het echter te maken. Het sloeg nergens op. Hij wilde het briefje aan oom Ben laten lezen, maar die had weer eens een bevlieging van haast en wilde er meteen vandoor. Enfin, des te beter. Hoe minder een ander van je wist des te veiliger.

De volgende morgen wandelde hij naar het huis van Schafter. Hij was van plan om zich op een meter of honderd van het huis achter wat struiken te verbergen. Maar hij had geluk. Toen hij langs de kruidenier kwam, zag hij dat Schafter in de winkel stond. Mooi zo. Nu gauw doorlopen, voordat hij klaar was met z'n boodschappen. Bij Schafters huis keek hij snel om zich heen. Bekenden zag hij niet, alleen de gebruikelijke stroom trekkers vulde de weg. Snel wipte hij het hekje door en tien seconden later lag het briefje in de brievenbus. Zelfs al had een buurman hem opgemerkt dan was dat nog niet zo erg. Niemand praatte met Schafter. De man werd gemeden alsof hij een besmettelijke ziekte had.

Daarna was het afwachten geblazen. De eerste vierentwintig uur kon Michiel zijn ogen haast niet van het gebouwtje van het Groene Kruis afhouden. Als hij thuis was, liep hij steeds even naar het raam om te kijken of er iets gebeurde. Maar nee. Het gebouwtje stond daar eenzaam en onaangeroerd en zo bleef het de hele week. Geen Duitser nam de moeite er een blik op te werpen. Nu weet ik nog niks, dacht Michiel. *Of* Schafter is geen verrader *of* hij heeft de val doorzien en trapt er niet in. Oom Ben kwam weer een dagje langs en informeerde hoe het met Michiels plannetje was afgelopen. 'Mislukt,' zei de jeugdige vallenzetter en daar bleef het bij.

Nog een week passeerde, waarin behalve de gebruikelijke hoeveelheid ellende van de trekkers en een mislukt bombardement op de kazerne (de bommen kwamen allemaal in een weiland terecht) niets bijzonders gebeurde. En toen, vijftien dagen nadat Michiel het briefje bij Schafter in de bus had gestopt, toch nog. Op een middag kwamen ze. Een overvalwagen stopte voor het gebouwtje en vijf soldaten kwamen eruit. Ze trapten de deur open en gingen naar binnen. Michiel zag het allemaal vanuit de woonkamer.

'Wat zie je toch?' vroeg zijn moeder.

'Een overval op het gebouwtje van het Groene Kruis.'

Mevrouw Van Beusekom kwam ook kijken.

'Wat moeten ze daar nou? Dat huisje staat al drie jaar leeg.'

'Ik zou 't niet weten,' zei Michiel, maar het klonk zo triomfantelijk dat zijn moeder er even van opkeek.

Een halfuur bleven de soldaten binnen. Daarna stapten ze weer in de auto en reden weg. De deur bleef half openstaan.

Morgen ga ik naar Dirk, dacht Michiel. Hij had zijn vriend niets over de valstrik verteld. Dat wilde hij pas doen als het gelukt was. Wel, dat was het nu. Er kon geen twijfel meer over bestaan dat Schafter een gemene landverrader was. Dirk moest maar bedenken hoe hij de rekening met Schafter wilde vereffenen.

Er was in de Vlank een hulpcomité, opgericht door een aantal voortvarende dames. Ze probeerden hulp te bieden aan de allerzieligste gevallen uit de trekkersstroom. Als iemand instortte en niet verder kon, werd hij opgenomen in een noodhospitaaltje waar zes bedden stonden; hij werd dan een paar dagen liefderijk verzorgd. Het meeste werk werd gedaan door Erica. Ze was er pas bijgekomen toen het comité al een tijdje bestond, maar omdat ze tijd had, jong en sterk was, en iets van verpleging afwist, werd ze algauw een van de steunpilaren van het DC (Dames Comité). Daar stond tegenover dat ze uit de beperkte voorraden van het DC gedurende de winter de verbandmiddelen voor Jack had gepikt, iets wat goed van pas was gekomen.

Het DC had nog iets anders gedaan. Het Verenigingslokaal was ingericht als 'hotel'. Er was stro op de grond gelegd en wie 's avonds geen onderdak kon vinden, mocht er slapen. Iedere avond van zeven uur tot één minuut voor acht was Erica in dat lokaal. Met een paar EHBO'ers prikte ze blaren door, verbond zweren, bepleisterde open wonden. Dikwijls haalde Michiel haar af. Dat had twee voordelen. Ten eerste kon de knijpkat langer thuisblijven en ten tweede hoefde Erica dan niet alleen over straat.

Later, als Michiel terugdacht aan de oorlog, kwam vaak dat lokaaltje in zijn gedachten, de zwachtelende EHBO'ers bij een kaars en het gemurmel van stemmen in het donker. Er heerste een heel bijzondere sfeer. Enerzijds een sfeer van verdriet en ellende, anderzijds toch ook van geborgenheid, geborgenheid voor één nacht, van vriendschap en gemeenschapszin ook.

Op het kleine podium was een lichtpunt, waarbij Erica haar werk deed. Verder was het zaaltje donker; dat er mensen waren, hoorde je aan zacht geritsel van stro. Tegen achten kwam gewoonlijk de dominee. Hij ging door het middenpad op het licht af, voorzichtig, om niet op een uitstekende hand te trappen. Gebogen bij het licht, vlak boven de zweren en blaren, las hij een paar regeltjes uit een zakbijbeltje. En dan sprak hij een kort woord tegen zijn onzichtbaar gehoor. 'Mensen, ik zie jullie niet, maar ik weet, ik vóél dat jullie er zijn. Wat hebben we elkaar nodig in tijden als deze...'

Dikwijls ging Michiel iets vroeger om naar de dominee te luisteren. Naar de kerk ging hij bijna nooit, maar in het lokaaltje, dat was anders. Daar sprak de dominee niet over de mensen heen, maar tégen ze. Gek, het was net alsof de mensen iets terugzeiden met hun geadem en geritsel.

Iedere keer weer was Michiel er verwonderd over dat er niemand vanuit de duisternis riep: 'Man, hoepel toch op met je vrome praatjes.' Niemand zei ook: 'Ik ben katholiek of gereformeerd en ik wil geen hervormde dominee horen.' Integendeel. Ze pakten zijn hand of een slip van zijn jas en ze zeiden: 'Dank je, dominee, wat fijn dat je gekomen bent.' Eens was er een man die vroeg om een bladzijde uit de bijbel, één bladzijde maar. 'Ik ben altijd ongelovig geweest,' zei hij, 'maar nu moet ik iets van God bij me hebben.'

Michiel kon het niet begrijpen, maar hij had altijd het gevoel dat de mensen in het Verenigingslokaaltje *tevreden* waren. Waar zat 'm dat toch in? Was het omdat ze doodmoe waren van het trekken en nu hun uitgeputte leden konden strekken op het stro? Was het omdat ze het *allemaal* moeilijk hadden? Ze hadden toch honger. Ze waren ver van huis. De volgende dag zouden ze weer moeten sjouwen, moeten wegduiken voor vliegtuigen, zich opnieuw moeten afvragen hoe ze 's nachts aan onderdak moesten komen. Wonderlijk. Zijn vader had gelijk gehad, toen hij zei, dat oorlog betekende honger, tranen, ontberingen, angst, pijn en toch... In het Verenigingslokaaltje voelde Michiel dat je ook iets kon leren van de oorlog, dat er *iets* was aan die oorlog, waar hij zijn hele leven wat aan zou hebben.

De avond van de dag dat het gebouwtje van het Groene Kruis was doorzocht, stond Michiel op het punt Erica te gaan afhalen, toen er werd gebeld. Hij deed open. Hij verwachtte een trekker, maar voor zijn neus stond Schafter.

'Dag... dag Schafter, kom binnen,' stamelde hij.

'Nee,' zei Schafter.

'Wat kan ik dan voor u doen?'

'Naar me luisteren,' zei Schafter. 'Jij hebt bij mij een briefje in de bus gegooid. Ik weet niet wat je daarmee vóór hebt, maar het bevalt me niet. Vanmiddag is het gebouwtje van het Groene Kruis doorzocht. Men zegt dat er niets is gevonden.'

'Hoe komt u erbij, dat ik een briefje bij u in de bus heb gegooid?'

'Dat weet ik.'

'Hoe weet u dat dan?'

'Dat gaat je niet aan. Waarschijnlijk verdenk je me van verraad. Ik verdenk jou niet van verraad en daarom verbaast het me niet, dat er geen wapens in het gebouwtje te vinden waren. Ik verzeker je bij dezen dat ik nog nooit iets aan de Duitsers heb verraden.'

'Maar... maar die overval op het gebouwtje van het Groene Kruis. Waarom is die overval dan geweest?'

'Dat is het hem nou net,' zei Schafter. 'Daar ga jij conclusies uit trekken. Foute conclusies. Ik weet niet, waarom dat gebouwtje is overvallen. Iets anders weet ik wel: ik heb jouw onbenullige briefje in de kachel gegooid en met niemand over de inhoud ervan gesproken. Met níémand. Begrepen?'

'Nee... eh, ja,' hakkelde Michiel.

'Gegroet.'

Met een nijdige schouderbeweging draaide Schafter zich om en verdween in de duisternis.

In plaats van Erica af te halen, ging Michiel naar zijn kamertje op zolder om na te denken. Een tijd lang zat hij op de rand van zijn bed in de duisternis te staren. Voor de zoveelste keer was hij in een toestand van onzekerheid en niet-begrijpen. Hoe wist Schafter dat *hij* dat briefje in zijn bus had gedaan? Dat wist toch niemand? Zelfs oom Ben had niet geweten, dat het om Schafter ging. Hij wist toch zéker dat Schafter in de winkel bij de kruidenier had gestaan. De buren? De een of andere voorbijganger die hem had opgemerkt? Hij had toch goed rondgekeken en niemand gezien. Hij kón zich natuurlijk vergissen, maar het was zo onwaarschijnlijk. Niemand sprak meer met Schafter. Je kon toch ook niet aannemen, dat Schafter met het briefje de buurt was afgegaan om te vragen of iemand had gezien wie dat bij hem had bezorgd. Daar was het 't briefje niet naar.

Was hij nou zo'n uilskuiken? Alles wat hij deed, liep uit de hand. Juist bij hem, Michiel. Hadden ze niet altijd van hem gezegd dat hij zo gesloten was als een oester? Hadden zijn vader en moeder niet verteld, dat hij al een geheim kon bewaren toen hij nog maar vier jaar was? Had Erica hem niet zijn hele leven verweten, dat hij 'nou nooit eens iets vertelde'? En toch, toch leek alles wat hij deed klaar en duidelijk, frank en vrij, onbedekt en openbaar te zijn voor iedereen – nou ja, in ieder geval voor Schafter. Had die man het tweede gezicht? Was hij helderziende?

Zijn valstrik was mislukt, dat was duidelijk. Zolang er zóveel vraagtekens overbleven, kon hij Dirk niet met zekerheid zeggen, dat Schafter de verrader was. In een neerslachtige bui ging hij naar beneden.

'Wie was er daarstraks aan de deur?' vroeg zijn moeder.

'Het Kerstmannetje,' antwoordde Michiel gemelijk.

'Nou, Michiel...'

'Neem me niet kwalijk, moeder. Het was iemand die onderdak zocht. Ik heb hem verwezen naar het Verenigingslokaal.'

Wat loog hij gemakkelijk, tegenwoordig. Hij draaide er zijn hand niet meer voor om.

'Ga je Erica niet halen?' vroeg moeder. 'Ze heeft de knijpkat niet.'
Michiel keek op zijn horloge. Twee minuten voor acht. Het kan nog net.

Verwoed knijpend in het ding alsof die het allemaal kon helpen, holde hij de deur uit.

14

Tien dagen gingen voorbij. Het werd 1 april. Niemand wist een goeie grap. Twee april. Drie april. De geruchten over de oprukkende legers van de geallieerde strijdkrachten werden steeds optimistischer. Wanneer zou Hitler zich overgeven? De oorlog liep op zijn eind, dat was zeker.

Voor Michiel en Erica was dat een reden te proberen Jack uit zijn hoofd te praten, dat hij terug moest naar zijn squadron. Jack werd ongedurig. Hij voelde zich weer gezond. Het voorjaar prikte in zijn bloed. 't Is ook geen kleinigheid, een hele winter in zo'n hol onder de grond.

'Ik moet weer gaan deelnemen aan de oorlog,' zei hij. 'Ik wil wedden dat ze 't zonder mij nooit klaren.'

'Waarom zou je het risico nemen? De oorlog is bijna afgelopen – dat zegt iedereen,' wierp Michiel tegen.

'Blijf jij maar gezellig bij ons,' zei Erica. 'We moeten straks toch samen het bevrijdingsfeest vieren? Ik wil je trouwens ook aan mijn moeder voorstellen.'

Maar Jack wilde weg. Hij werd humeurig. Hij werd ook onvoorzichtig. Op een dag lag hij Michiel op te wachten onder een struik, buiten het sparrenveld. Michiel kreeg bijna een hartverlamming van schrik toen hij hoorde sissen: 'Handen omhoog' en vanuit de struiken een pistool op zich zag gericht.

'Ha, ha,' lachte Jack.

Michiel was woedend.

'Dat zijn geen grappen,' zei hij. 'We zitten hier geen padvindertje te spelen op een militair oefenterrein in Engeland. Gisteren zijn er weer twaalf mensen gefusilleerd in Harderwijk. De oorlog is nog niet voorbij. Integendeel, de moffen schijnen hoe langer hoe meer pret te krijgen in het doodschieten van gijzelaars en politieke gevangenen.'

'Sorry,' zei Jack schuldbewust.

Michiel leerde uit het voorval dat het toch beter was als Jack vertrok. Hij sprak er met Erica over. Eerst wilde ze er niets van weten, maar toen hij aandrong en zei dat Jack wel eens dwaze dingen kon gaan doen, omdat hij het in het hol niet meer uithield, veranderde ze van gedachten.

'Maar hoe?' vroeg ze. 'Hoe krijgen we hem veilig over de rivieren? Hoe krijgen we hem veilig *bij* de rivieren, in de eerste plaats?'

'Oom Ben,' zei Michiel.

'Oom Ben?'

'Hij zit in het verzet. Hij heeft me eens verteld dat hij zich vooral bezighoudt met vluchtroutes voor Engelse piloten. En Amerikaanse en Canadese natuurlijk. Vroeger deed hij het in elk geval, toen het nog via Spanje moest, of met een bootje over de Noordzee. Ik neem aan dat hij dan zéker een methode weet om Jack in Noord-Brabant te krijgen.'

'Heb je hem wel eens iets over Jack verteld?'

'Nee, tot nu toe was dat niet nodig. Nu is dat veranderd. Ik zal het doen zo gauw hij komt.'

'Het moet dan maar,' zei Erica berustend. 'Ik had het fijn gevonden als Jack tot de bevrijding was gebleven, maar ja.'

Toen oom Ben een week later kwam opdagen, vroeg Michiel het hem meteen. Oom Ben fronste zijn wenkbrauwen.

'Jonge vriend, beweer jij dat je een Engelse piloot verborgen houdt?'

'Dat beweer ik.'

'Hoelang al?'

'Ruim een halfjaar.'

'Hoe kom je aan hem?'

'Het lijkt me niet nodig om dat te vertellen,' zei Michiel.

Oom Bens frons werd dieper.

'Beste jongen, weet je wel wat je zegt? Je wilt mijn hulp voor het smokkelen van een piloot. Als ze me pakken, ga ik zonder pardon tegen de muur. Dat geeft me toch wel het recht om eerst uit te zoeken of die man wel echt een piloot is en niet bijvoorbeeld een vermomde Duitser, vind je niet? Het geeft me het recht te weten, waar hij vandaan komt, waar hij is neergestort, hoe hij tot nu toe is verzorgd, wie hij kent, enzovoorts.'

'Ja,' zei Michiel aarzelend.

Zijn lang geoefende gewoonte om te zwijgen, om niets te vertellen als het niet strikt nodig was, verzette zich ertegen, maar hij begreep dat oom Bens verlangen redelijk was. Met tegenzin vertelde hij het verhaal van Jack en Dirk; dat Dirk de Duitser had gedood met een kapmes verzweeg hij. Hij vertelde hoe Dirk de piloot ergens had verborgen en verzorgd, hij vertelde van de brief en van Dirks arrestatie. Daarna zijn eigen rol in de gebeurtenissen en die van Erica.

Oom Ben legde een hand op zijn schouder.

'Mannenwerk,' zei hij. 'Ik ben trots op je.'

Michiel kleurde. Tot nu toe had hij voornamelijk nagedacht over de fouten die hij maakte. Dat hij ook lof verdiende, was nooit bij hem opgekomen.

'Waar is die schuilplaats?' vroeg oom Ben.

'Lijkt het u niet beter als ik dat pas vertel op het laatste moment, als u zijn vlucht hebt georganiseerd? U zou opgepakt kunnen worden. Hoe minder u dan weet hoe beter.'

Oom Ben glimlachte waarderend.

'Je bent opmerkelijk rijp voor je leeftijd, jongen,' zei hij. 'De meeste mensen zijn kletsmajoors. Ze moeten met alle geweld hun doen en laten aan iedereen vertellen. Een soort geldingsdrang, denk ik. Zelfverzekerde mensen, sterke karakters, hebben dat niet nodig. Die hebben genoeg aan zichzelf. Het applaus of de afkeuring van anderen kunnen ze missen. Ik zal er meteen werk van maken. Jij moet me daarbij helpen. Hoe is die piloot van je gekleed?'

'In de resten van zijn uniform en een zeer oud jasje. Vodden.'

'Hij moet een onopvallend pak aan hebben. Kun jij hem dat bezorgen? Haal maar iets uit de klerenkast van je vader.'

Michiel knikte.

'Ik heb in mijn koffer een fototoestel,' vervolgde oom Ben. 'Kun je fotograferen? Ik zal het je uitleggen. Ik moet namelijk een pasfoto van hem hebben voor zijn valse persoonsbewijs.'

Oom Ben haalde het toestel en legde Michiel zorgvuldig uit hoe hij de foto moest maken. Hij liet het een keer of twee, drie, nazeggen, tot hij ervan overtuigd was, dat zijn pseudoneef geen fouten zou maken.

'Kun je ervoor zorgen dat ik het toestel uiterlijk morgenmiddag terug heb?'

'Dat denk ik wel.'

'Mooi. Ik hoef zeker niet te zeggen, dat je piloot burgerkleren aan moet hebben als je de foto maakt?'

'H'm,' zei Michiel. 'Misschien toch goed dat u het even hebt genoemd.'

'Woensdag foto,' mompelde oom Ben, 'donderdag ontwikkeld, valse persoonsbewijs kan dan in het weekend, vluchtroute organiseren, 's kijken, dan kan ik hem waarschijnlijk maandag meenemen naar een contactadres, van waaruit hij verder zal worden gebracht.'

'Maandag al,' zei Michiel met een kleine pijnscheut in zijn hart.

'Ik denk het.'

Michiel ging direct aan het werk. De kleren van zijn vader waren veel te groot voor Jack, die tenger was. Maar goed, met een sportjasje dat wat smaller leek dan de andere jasjes en een broek die met een riem samengesnoerd kon worden, moest het kunnen lukken. Tenslotte waren er zoveel mensen magerder geworden in de oorlog, dat het doodgewoon was, wanneer je kleren om je lijf slobberden. Terwijl hij de spullen uit de kast haalde, werd hij betrapt door zijn moeder. Ze bleef staan in de deuropening. Ze zag de kleren uitgespreid op het bed. Ze begon een zin: 'Wat ben jij...', bedacht zich dan, draaide zich om en ging de kamer uit. Zachtjes sloot ze de deur. Ineens begreep Michiel dat hij op zijn moeder leek. Ook zij kon zwijgen. Maar het zwijgen van zijn moeder was een niet-vragen en dat was moeilijker dan niet vertellen.

Het maken van de foto verliep zonder problemen. Jack was opgewonden door het nieuws dat hij maandag het hol zou verlaten. Ook het komende gevaar deed zijn bloed sneller stromen. Dirk was een beetje jaloers. Hij was behoorlijk aangesterkt en zou ook graag weer tot actie komen. Helaas, hij liep erg slecht. Als hij zich bij de ondergrondse meldde, zou hij eerder een last dan een gemak voor hen zijn.

'Die oom van jou,' vroeg hij aan Michiel, 'verstaat die zijn werk? Heeft hij het vaker bij de hand gehad?'

'Hij doet al jaren niet anders,' zei Michiel. 'Als iemand het er veilig af kan brengen, is hij het.'

Die maandag. Michiel had besloten dat Erica hun oom naar de schuilplaats zou brengen. De banden van zijn zusje met Jack waren van een andere aard dan de zijne. Het had hem wel moeite gekost het zo te regelen, maar het bedroefde gezicht van Erica toen ze hoorde van Jacks vertrek, had de doorslag gegeven.

's Zondags was hij zelf afscheid gaan nemen.

'Direct na de bevrijding ik kom bij jullie,' had Jack gezegd. 'En, Michiel, bedankt voor het redden van mijn leven.'

'Kom, kom.'

'Jazeker. Zonder Dirk en jij en Erica had ik nooit overleefd deze oorlog. Da's een aardige gedachte voor jullie. Later, als ik eerste minister van Engeland ben, jullie kunnen zeggen: zonder ons werd Engeland nu niet zo goed geregeerd.'

'Tabee, Jack. Doe precies wat mijn oom zegt.'

Hun handen even in elkaar. De blauwe blik van Michiel, de grijze van Jack. Vaarwel.

Nu was het maandag. Zo-even waren oom Ben en Erica vertrokken. Lopend. Ze zouden naar het sparrenbosje wandelen en daar Jack oppikken. Erica hoefde alleen de weg te wijzen. Daarna zou ze afscheid nemen en een andere kant opgaan. Oom Ben en Jack zouden lopend door het dorp gaan, te midden van de trekkers, expres midden op de dag, om niet op te vallen. Als ze werden aangehouden, zou Jack z'n valse persoonsbewijs laten zien en verder vreselijk stotteren. Oom Ben zou uitleggen dat hij een spraakgebrek had. Het moest goed gaan.

Michiel ging houtjes hakken, achter de schuur. Van tijd tot tijd keek hij op de kerkklok. De minuten kropen. Nu moesten oom Ben en Erica wel bij het sparrenveldje zijn, zo langzamerhand. Nou nee, nog niet eigenlijk. De aprilzon scheen warm in zijn nek. Hij legde de bijl op de grond en ging op het hakblok zitten, zijn rug geleund tegen de schuur. De vermoeidheid van een winter vol spanning en hard werken kroop omhoog in zijn lichaam. De verantwoordelijkheid voor Jack was hij nu kwijt. Een geruststellende gedachte. Een gemis toch ook.

Hij sloot zijn ogen en keerde zijn gezicht naar de zon. Heerlijk, die warmte. Doezelde hij even weg? Hij schrok ineens op toen hij het stemmetje van Jochem hoorde. Vlakbij was die stem, alsof er in zijn oor getoeterd werd. Het duurde even voor hij zich realiseerde, waar het geluid vandaan kwam. Uit de schuur. De plank waartegen hij zijn hoofd leunde, week een beetje. Daardoor was er een spleet tussen deze plank en die eronder. Op het eerste gezicht zag je die spleet niet, omdat de planken elkaar een beetje overlapten. Blijkbaar sprak Jochem tegen moeder – hij kon het woordelijk volgen.

'Ik héb hier al gezocht,' zeurde Jochem. 'Hij is hier niet.'

'Heb je hier wel gespeeld?' vroeg zijn moeder.

'Jawel. Wel een poosje.'

'Ben je ook bij Joost geweest?' (Joost was z'n vriendje, die in het huis naast hen woonde.)

'Dat weet ik niet meer. Gisteren wel, geloof ik.'

'Nou, dan is je jas daar misschien. Laten we maar eens gaan vragen.'

De stemmen stierven weg. Michiel was nog wat suf door zijn hazenslaapje, maar ineens verstrakte hij alsof hij door een beroerte werd getroffen. Alleen zijn ogen sperden zich wijder en wijder open. Dat geluid... Die stemmen in de schuur... De waarheid drong tot hem door, zó duidelijk, zó zeker, dat er geen spoor van twijfel in hem achterbleef.

Hij beet op de binnenkant van zijn wang om de verlamming die hem had overvallen, te doorbreken. Toen sprong hij op en holde naar zijn fiets. Met één zwaai slingerde hij zich op het zadel en fietste, fietste zoals hij nog nooit had gefietst. Als hij maar op tijd was. Als hij alsjeblieft maar op tijd was. Op zijn rammelende banden racete hij over de straatweg, miste op een haar na een oude dame die een poppenwagen voortduwde, ontweek de mestwagen van Coenen en stoof de Damakkerweg op. Geen tijd nu voor voorzichtigheid, voor opletten dat niemand hem zag. Dáár was het Dagdaler Bos. Waren ze er nog? Zijn verstand werkte snel; helder alsof hij het al eens in een film had gezien bedacht hij, wat hij moest doen. Met volle vaart nam hij de bocht naar links, het bospad in. En daar botste hij bijna tegen oom Ben en Jack op.

'Michiel, wat is er,' riep oom Ben verschrikt.

Michiel sprong van de fiets en greep Jack bij een arm.

'Jack, heb je het pistool bij je?'

'Jawel, wat is daarmee?'

'Geef het eens gauw.'

Verbaasd trok Jack het pistool tevoorschijn van onder zijn jas. Michiel rukte het hem haast uit de handen. Hij haalde de veiligheidspal over, wat hij in het hol van Jack had geleerd, en richtte het wapen op oom Ben.

'Handen omhoog,' riep hij schel.

'Wat zullen we nou hebben,' zei oom Ben en ook Jack maakte verbaasde geluidjes door zijn neus.

'Deze man is de verrader,' hijgde Michiel. 'Hij heeft Dirk verraden en de barones en Bertus Hardhorend en hij zou nu met jou, Jack, regelrecht naar de Duitse kazerne zijn gewandeld.'

'Je bent gek,' zei oom Ben.

'Ik wás gek,' zei Michiel, 'maar nu ben ik het niet meer.'

'Als we eens teruggingen naar het hol?' stelde Jack voor. 'Het lijkt me hier niet zo veilig. Geef mij dat pistool maar, ik was in de opleiding kampioen pistoolschieten van de compagnie.'

'Als je belooft dat je hem goed onder schot houdt.'

'Nou en of.'

Jack gaf oom Ben een duw en beduidde met een hoofdknik dat hij moest gaan lopen in de richting waar ze vandaan waren gekomen. Gelukkig was er behalve hen niemand in het bos te bekennen.

'Ik protesteer,' zei oom Ben. 'Ik wens niet zo behandeld te worden. Michiel praat wartaal. Ik heb vier jaar in het verzet gezeten.'

'Dat zal best,' hoonde Michiel. 'Vier jaar zo'n judas in je eigen gelederen. Wat zal dat een slachtoffers hebben gekost.'

'Geloof hem niet,' zei oom Ben tegen Jack, die de verdachte met het pistool tot grotere spoed maande.

'Als ik één persoon op deze wereld vertrouw, dan het is Michiel,' zei Jack. 'Hupsa, doorlopen.'

Oom Ben verdubbelde zijn protesten, toen hij op zijn buik tussen de stammetjes door moest, maar het hielp hem niet. De verbazing van Dirk, toen ze het hol bereikten, was groot.

'Het schijnt dat we hebben hier je verrader,' zei Jack. 'Alsjeblieft, voor jou, helemaal compleet.'

Hij overhandigde Dirk het pistool.

'Ik heb die man nog nooit gezien,' zei oom Ben.

'Dat klopt,' aarzelde Dirk.

'Hij heeft je toch verraden,' gromde Michiel.

‘Nonsens,’ zei oom Ben.

‘Waarom doorzoeken wij zijn zakken niet?’ stelde Michiel voor.

‘Goed idee.’

Oom Ben protesteerde heftig, maar daar trokken de drie jongemannen zich weinig van aan. En toen kwamen ze tevoorschijn, de bewijzen. Een kaart die de houder recht gaf op Duitse militaire voertuigen mee te rijden. Een lijstje telefoonnummers van Duitse autoriteiten. Een brief van een Duitse vriendin in Hannover. En als klapstuk een brief van de SS, waarin de geachte heer Van Hierden werd uitgenodigd om de Engelse piloot af te leveren in de kazerne van de Vlank.

‘Heet ’ie Van Hierden?’ vroeg Jack belangstellend.

‘Ben van Hierden. Mijn zogenaamde oom. Al sinds jaar en dag een dikke vriend van mijn ouders. Ik zal hem mijn leven lang niet meer met oom aanspreken.’

‘’t Is natuurlijk de vraag,’ fluisterde Dirk dreigend, ‘of zijn leven nog erg lang zal zijn.’

De heer Ben van Hierden veegde met de achterkant van zijn hand het zweet van zijn voorhoofd.

‘Jullie kunnen toch niets bewijzen,’ stamelde hij.

‘O nee?’ zei Dirk. ‘Is dit hier niet genoeg bewijs? Vertel eens, Michiel, hoe heb je het ontdekt?’

Michiel had moeite om samenhangend te praten. De wilde fietsrit, de opwinding, maar vooral zijn woede over het verraad van zijn zogenaamde oom en zijn ergernis over de manier, waarop hij zich had laten bedotten, hadden het bloed naar zijn hoofd gejaagd.

‘De wanhoopshoutjes…’ begon hij.

Hij probeerde zijn gedachten te ordenen.

‘Ik dacht dat ik kende een aardig woordje Nederlands,’ zei Jack, ‘maar met wanhoopshoutjes heb ik nog niet kennis gemaakt.’

‘Vanmorgen hakte ik houtjes achter de schuur,’ vertelde Michiel. ‘Daar staat het hakblok en daar liggen de houtblokken opgestapeld.

We hakken daar altijd. Ineens hoorde ik stemmen, heel duidelijk, zonder dat ik iemand zag. Het bleken mijn moeder en Jochem te zijn, die in de schuur aan het zoeken waren naar Jochems jas of zoiets. Ik kon het zo duidelijk horen, omdat er een spleet tussen de planken zit. Ineens herinnerde ik me de morgen dat Dirk me de brief gaf. Dat was in de schuur. Diezelfde ochtend, een beetje vroeger, had hij daar (hij wees op Van Hierden) alle dunne, droge houtjes opgestookt die voor geval van nood voor mijn moeder in de kist bij de kachel liggen. De zogenaamde wanhoopshoutjes. Ik had hem gezegd dat hij nieuwe moest hakken. Ik weet nog dat ik hem met de bijl zag lopen. Hij moet op het hakblok zijn gaan zitten om uit te rusten, net als ik vanmorgen. Zo heeft hij kunnen horen wat Dirk tegen me zei.

Laten we eens nagaan wát Dirk precies heeft gezegd. Ten eerste: hij heeft verteld van de overval op het distributiekantoor in Lagezande, die met drie man zou gebeuren. Dirk en zijn vrienden vielen in een hinderlaag en *de moffen wisten dat er een derde man moest zijn*. Ten tweede: Dirk heeft de naam van Bertus Hardhorend genoemd. Ik zou Bertus de brief moeten geven als er iets misging. Van Hierden heeft die naam gehoord. Maar hij wilde ook de brief hebben. Hij wist niet dat ik de brief in de schuur had verstopt. Of liever gezegd: in het kippenhok.'

Onwillekeurig klikte Ben van Hierden met zijn vingers.

'Daar had u niet aan gedacht, hè?' zei Michiel smalend en hij vervolgde: ''s Avonds heeft hij mijn kamertje doorzocht. Ik betrapte hem. Hij zei heel ad rem dat hij iets wilde opzoeken in mijn Engelse woordenboek. Het Engelse woord voor dynamiet. Hij had beter kunnen opzoeken hoe je verrader in het Engels zegt.'

'Traitor,' zei Jack behulpzaam.

'Goh,' zei Dirk, 'wat ken jij goed Engels.'

'Zal ik verdergaan?' vroeg Michiel.

'Ik wou dat u niet zo met dat pistool zat te spelen,' zei Ben van Hierden. 'Pistolen gaan soms af, weet je.'

'Dat zou geen gekke oplossing zijn,' zei Dirk somber. 'Maar ik wil mijn handen wel vrij hebben, eigenlijk. Laten we hem maar vastbinden.'

Vijf minuten later waren Van Hierdens handen vastgebonden op zijn rug en ook om zijn enkels en knieën was een touw geknoopt. Daarna ging Michiel verder met zijn verhaal.

'Toen hij het briefje niet kon vinden, heeft hij, neem ik aan, als volgt geredeneerd: we wachten tot het eind van de volgende dag voor we Bertus Hardhorend overvallen. Dan vinden we het briefje wel bij hem. Hij mocht aannemen, dat ik het dadelijk weg zou brengen. En nu wilt u zeker graag weten, waarom ik dat niet heb gedaan.'

Ben van Hierden gaf geen antwoord.

'Ik had die dag allerlei pech,' ging Michiel verder. 'Jullie weten dat Schafter met me mee is gefietst naar wethouder Kleiweg en dat hij me later nog eens heeft gezien. Maar daardoor kon hij toch de naam van Bertus niet kennen? Dat was dus toch toeval, Dirk, daar had jij gelijk aan.'

'Maar hij heeft ook de Duitse overvalwagen het Driekusmanswegje gewezen,' weifelde Dirk.

'Misschien hebben ze hem gevraagd waar het Driekusmanswegje is. Dat is geen geheim. Dat mocht hij hun gerust vertellen. Trouwens, het kan best zijn dat hij een vriend van de Duitsers is. Iedereen zegt het. Maar Bertus Hardhorend *kan* hij niet verraden hebben. Hij *wist* het niet. Alleen hij daar wist het.

En dan die kwestie met het Koppelse Veer. De avond van de dag, dat ik die Rotterdammers had overgezet, kwam hij toevallig. Hij wist toen nog niet dat mijn vader dood was. Hij leek er zo overstuur van dat ik, om hem op te vrolijken...'

'Ik wás er overstuur van,' zei Ben van Hierden. 'Ik heb je vader altijd graag gemogen.'

'Dan had u er beter aan gedaan dat aan de moffen te laten weten. Dat zou beslist hebben geholpen.'

'Dat was 't hem nu juist,' mompelde Ben van Hierden. 'Daar was ik overstuur van. Ik had verzuimd de kazernecommandant te zeggen dat hij met zijn vingers van de burgemeester moest afblijven.'

'En de gemeentesecretaris en de dominee en die anderen, dat gaf niet, hè?' zei Michiel fel. 'Die mochten wel dood. De vrouw van de gemeentesecretaris zit nu in een psychiatrische inrichting, weet u dat? Ze komt er nooit meer overheen.'

Ben van Hierden zweeg.

'Nou goed, om hem op te vrolijken liet ik mijn voorzichtigheid varen en vertelde hem van de manier, waarop de moffen voor de gek werden gehouden door de barones. Jullie weten wat er is gebeurd. De volgende morgen werd de hele zaak opgerold. En ik, onnozele, verdacht Schafter ervan.'

Een tijdje was iedereen verzonken in zijn eigen gedachten. Jack overwoog dat er van zijn vlucht naar het zuiden nu wel niets terecht zou komen. Ben van Hierden zocht verwoed naar een mogelijkheid om uit deze lastige situatie te komen. Dirk overlegde met zichzelf wat ze met de verrader moesten doen. En Michiel piekerde erover hóé deze man, tegen wie hij zijn hele leven oom had gezegd, die hij altijd aardig had gevonden, ertoe was gekomen om zulke lage streken uit te halen.

'Ik heb ervoor gezorgd dat jij overal buiten bleef,' zei Ben van Hierden.

'Dat had ook een vingerwijzing voor me moeten zijn,' zei Michiel. 'Een paar maal was ik er zeker van, dat ze me zouden komen halen. Waarom hebt u eigenlijk mijn naam niet genoemd?'

'Omdat ik je altijd zo graag heb gemogen.'

'Kijk uit, Michiel,' zei Dirk. 'Nou gaat 'ie op je gemoed werken.'

'Waarom hebt u het gedaan?' vroeg Michiel. 'Kreeg u geld van de Duitsers?'

'Nee,' antwoordde Ben van Hierden, en er kwam een fanatieke gloed in zijn ogen. 'Ik heb het gedaan, omdat Hitler een groot man is. Hij begrijpt dat sommige rassen zijn geschapen, om te heersen en sommige om te dienen. De Slavische volkeren heten niet voor niets slaven. En ook de Fransen en de Italianen en de Spanjaarden zijn slappelingen. De joden zijn zo minderwaardig, dat je ze beter kunt uitroeien.'

Michiel dacht aan het fijne, intelligente gezicht van Jitzchak Kleerkoper.

'De Engelsen zouden iets waard kunnen zijn als ze niet zo decadent waren,' vervolgde Van Hierden.

'Bedankt,' zei Jack met een grijns.

'Maar het grootste volk, het herenvolk, dat zijn de Duitsers. Zij zijn lang en blond, zij hebben de beste technici en wetenschapsmensen, zij hebben de grootste componisten voortgebracht. En het zijn militairen. Geen leger is zó gedisciplineerd, zó...'

'Zwijg!' zei Dirk ineens. 'Ik kan deze godslasterlijke taal niet langer aanhoren.'

Hij wreef langs het litteken dat liep van zijn linkeroor tot aan zijn neus.

'Wat gaan we met hem doen?' vroeg Jack ineens.

'Daar zit ik voortdurend over te denken,' zei Dirk.

'Er is eigenlijk maar één mogelijkheid,' zei Jack achteloos.

Dirk knikte.

'Michiel, dat kun je niet toelaten,' hijgde Ben van Hierden.

'Wat kan ik niet toelaten?'

'Dat ze me...'

'Willen jullie hem doodschieten?' vroeg Michiel zacht.

Dirk haalde zijn schouders op.

'Weet jij iets beters?'

Weer viel er een zwijgen in het hol.

'Jij mag het doen,' zei Jack na een tijdje. 'Jij hebt het meest door hem geleden.'

'Mág het doen? Doe jij het alsjeblieft. Jij bent een militair.'

'Nee,' zei Jack luchtig, 'dat was geen onderdeel van de opleiding.'

'Kunnen we hem niet overdragen aan de ondergrondse?' stelde Michiel voor. 'Laat meneer Postma beslissen wat er moet gebeuren.' Daar moest Dirk even over nadenken.

'Hoe spelen we hem in handen van de ondergrondse? Hoe overtuigen we hen ervan dat hij een verrader is? Lopen we niet een onnodig risico door er anderen in te mengen?'

Ze kwamen er niet uit. Jack vond, dat ook Erica's mening gevraagd moest worden. Ten slotte besloten ze er een nachtje over te slapen. Van Hierden kon wel geboeid in het hol blijven, al werd de ruimte voor drie man wel klein.

'Och,' zei Jack, 'in een cockpit is het ook zo ruim niet. En waar zou ik nu zijn als Michiel minder hard had kunnen fietsen?'

'Tot morgen,' zei Michiel. 'Ik zal Erica inlichten.'

Hij kroop door het sparrenbos, vond zijn fiets en reed naar huis. Bij alle bitterheid voelde hij zich opgelucht, omdat de onzekerheid, de raadsels, waren opgelost. Hij begreep nu ook hoe Ben van Hierden zo snel een brief van Jacks moeder had kunnen organiseren. Hij had de Duitsers natuurlijk gezegd dat het Rode Kruis geen strobreed in de weg mocht worden gelegd, zodat Michiel onder de indruk zou komen van zijn relaties. Goh, en juist door die snelle briefwisseling met Jacks moeder had hij zo'n groot vertrouwen in oom Ben gekregen.

Nog één vraag dreinde door in zijn hoofd. Die ging over het gebouwtje van het Groene Kruis. *Hoe had Schafter geweten dat Michiel het briefje had geschreven?* Hij schudde zijn hoofd. Hoe hij ook nadacht, dat begreep hij niet.

15

De volgende dag zijn ze weer bij elkaar in de schuilplaats. Ook Erica is er. Zij was diep geschokt toen zij hoorde dat oom Ben een verrader is. Ze kán het haast niet geloven. Nu ze in het hol is, vermijdt ze hem aan te kijken.

Dirk heeft ernstig nagedacht. Hij deelt zijn conclusies mee aan de anderen.

'We moeten hem inderdaad maar onder de hoede stellen van meneer Postma,' zegt hij. 'Het is namelijk best mogelijk dat hij dingen weet die belangrijk zijn voor de ondergrondse. Die moet meneer Postma maar uit hem zien te krijgen. Hopelijk is de oorlog binnenkort afgelopen. Dan kunnen ze hem overdragen aan de autoriteiten. De rechter kan dan beslissen welke straf hij moet hebben. Ik zal met genoegen tegen hem komen getuigen.'

Misschien is deze oplossing door Dirk bedacht, omdat hij zélf het vonnis niet ten uitvoer kan brengen. Jack waarschijnlijk ook niet. Erica en Michiel laat hij helemaal buiten beschouwing.

'Oké?' vraagt Dirk.

Hij kijkt de kring rond. Iedereen knikt.

'Hoe krijgen we hem hier weg?' vraagt Michiel.

'Ik stel voor dat jij met een briefje van mij naar meneer Postma gaat,' zegt Dirk. 'Hopelijk weet Postma een plaats waar hij Van Hierden kan verbergen. Je moet hem vragen of hij bereid is naar de rand van het Dagdaler Bos te komen om de gevangene over te nemen. Ik breng hem dan, met behulp van het pistool, van hier naar de rand van het bos.'

'Niet mogelijk,' zegt Jack. 'Je handen trillen nog te veel om het pistool vast te houden. Ik zal het doen.'

Daar heeft Dirk op zijn beurt bezwaar tegen.

'Het is nergens goed voor dat meneer Postma jou ontmoet. Toch moet één van ons het doen. Ik wil liever ook niet dat meneer Postma precies weet waar onze schuilplaats is. Ik vertrouw hem wel, maar hoe minder mensen het weten hoe beter.'

'Ik kan het toch doen,' zegt Michiel.

'Durf je dat?'

'Natuurlijk durf ik dat! Wat is daaraan te durven?'

'Goed, dat is dan afgesproken.'

'Als de Duitsers me aanhouden en het briefje vinden, zijn we erbij,' zegt Michiel. 'Is het niet beter dat ik zonder briefje naar meneer Postma ga?'

'Hij zou je misschien niet geloven. Ik zal proberen het briefje zo te schrijven dat iemand die mij niet kent er niks wijzer van wordt.'

Ze stemmen allemaal in met het voorstel. In het briefje schrijft Dirk alleen: *M. v. B. is volkomen te vertrouwen, volgens de witte leghorn.*

Dat betekent natuurlijk: Michiel van Beusekom is volkomen te vertrouwen, volgens Dirk Knopper.

Michiel trof meester Postma thuis. Toen die het briefje had gelezen, keek hij Michiel vorsend aan.

'Weet jij wie witte leghorn is?'

Michiel knikte.

'Is hij in gevangenschap?'

'Hij is ontsnapt.'

'Goddank,' zei meneer Postma. 'Waar is hij nu?'

Michiel keek zijn oude meester recht in de ogen zonder iets te zeggen.

'Goed. Wat kan ik voor je doen?'

De jonge verzetsstrijder vertelde van het verraad en van de verrader.

'We willen hem graag aan u overleveren,' besloot hij zijn verhaal. Na enig nadenken stemde meneer Postma erin toe de gevangene de volgende avond om half acht aan de rand van het Dagdaler Bos te komen halen.

‘Hoe, lopend?’ vroeg Michiel.

‘Ja.’

‘Bent u niet bang dat hij ontsnapt tussen de mensen?’

‘Om half acht schemert het al. Er zullen weinig mensen op straat zijn. Bovendien hoef ik niet over de straatweg. De drukste straat die we moeten passeren is de oude Stationsweg. Veel mensen zullen daar niet zijn. Toch is er enig risico. Durf jij mee te gaan, zodat we hem tussen ons in kunnen laten lopen?’

‘Jawel.’

‘Goed, tot morgenavond dan.’

Ben van Hierden rook zijn kans om te ontsnappen. Dat kleine stukje van het Sparrenveld tot aan de rand van het bos, dan zou hij alleen zijn met Michiel. Dan moest het kunnen.

Jack kroop mee tot aan het bospad. Daar overhandigde hij Michiel het pistool.

‘Als hij ervandoor gaat, niet aarzelen om te schieten,’ zei hij.

Michiel knikte, zo rustig mogelijk. Zou hij dat inderdaad durven, schieten op de man die hij zo lang aardig had gevonden?

Hij liet Ben van Hierden een paar meter voor zich uit lopen en hield het pistool onder zijn jekker. Amper waren ze uit het gezicht van Jack verdwenen of Van Hierden keerde zich om.

‘Moeten we nu zó door het bos, wij die zo dikwijls samen een wandeling hebben gemaakt?’ vroeg hij verwijtend.

‘Doorlopen,’ gromde Michiel.

Maar Ben van Hierden liep niet door. Hij ging zitten op een omgevallen boom. Michiel haalde het pistool tevoorschijn en richtte het op het hoofd van de man.

‘Ik schiet,’ zei hij, maar erg zeker klonk zijn stem niet.

‘Dat geloof ik niet,’ zei Van Hierden. ‘Jij kunt niet op me schieten. Daarvoor zijn we te lang goede vrienden geweest. Kom nu eens even naast me zitten en laten we eens praten.’

'Sta op en loop door, zeg ik je.' Michiels stem sloeg vervaarlijk over.

'Luister eens, Michiel, probeer me te begrijpen. Ik geloof dat het nationaal-socialistische systeem van de Duitsers het beste is voor de wereld en voor ons land. Dat kán toch. Je hoeft het niet met me eens te zijn, maar iemand kan die mening toch eerlijk zijn toegedaan. Zo is dat nu eenmaal met mij. Welnu, is het dan niet mijn plicht alles te doen wat ik kan om de Duitsers te helpen hun systeem over de wereld te verspreiden? Ben ik dat niet verplicht naar eer en geweten?'

'Nee,' zei Michiel, 'niemand kan naar eer en geweten verplicht zijn zijn land en volk te verraden, Willem Stomp te laten doodschieten en de tenen van Dirk Knopper in elkaar te laten slaan.'

Een gevoel van triomf schoot door Van Hierdens hoofd. Hij had de jongen aan het praten gekregen, aan het discussiëren. Nu zou hij zéker niet meer durven schieten. Hij was weer menselijk geworden in de ogen van Michiel.

'In alle oorlogen gebeuren vreselijke dingen,' zei hij overredend. 'Dat wil ik ook niet, maar ze gebeuren. Dacht je dat de Russen en de Amerikanen zulke lieverdjes waren?'

'Zij vechten voor een rechtvaardige zaak,' zei Michiel. 'Maar ik wil niet met u praten. Sta op en loop door.'

'Wat denk je dat die lui van de ondergrondse met me zullen doen? Precies hetzelfde als met Dirk is gebeurd. Ze zullen me net zo lang martelen tot ze denken dat ik alles heb verteld wat hun de moeite van het weten waard is. Daarna schieten ze me dood.'

'U hebt niet beter verdiend,' zei Michiel, maar hij aarzelde al. Zou meester Postma tot zoiets in staat zijn? Hij kon het zich niet voorstellen... Anderzijds, had hij zich kunnen voorstellen dat oom Ben een verrader was?

'Ik loop nu dit zijpaadje in,' zei Ben van Hierden rustig, 'en jij schiet niet. Je zegt maar dat ik ontsnapt ben, omdat er een Duitse patrouille door het bos kwam of iets dergelijks. Ik beloof je dat je me nooit weer zult zien.'

Hij was opgestaan en liep langzaam achteruit het paadje in, terwijl hij zijn ogen in die van Michiel bleef boren. Michiel stond daar met het pistool in zijn handen en bewoog niet. Kon hij op dat vertrouwde gezicht schieten? Hij dacht aan zijn vader, aan de barones, aan Dirk, aan Jannechien. Wat schoten deze mensen ermee op als Ben van Hierden stierf? En Jack... Jack zou natuurlijk gepakt worden. Van Hierden kende nu het hol. En Erica en hij – zij zouden ook gepakt worden en doodgeschoten. Nog altijd bewoog hij niet.

En zijn moeder... zijn moeder zou weer een brief krijgen, twéé brieven in één enveloppe misschien wel, waarin beleefd werd medegedeeld dat haar dochter en haar zoon... Ze zou op haar tanden bijten en Jochem in het verzet sturen. De krankzinnigheid van deze gedachte, een jongetje van zes jaar in het verzet, doorbrak de ban. Toen hij de droge ogen van zijn moeder voor zich zag, leek de vriendelijke glimlach van Ben een valse grijns te worden. Hij sprong naar voren en haalde de trekker over. De kogel belandde nergens, maar het schot klonk onwaarschijnlijk hard in de avondlijke stilte. Werktuiglijk stak Van Hierden zijn handen omhoog.

'En nu lopen,' siste Michiel, 'anders schiet ik je voorzeker dood.'

Mooi woord, voorzeker, vond hij zelf. Had 'ie waarschijnlijk in de kerk opgepikt.

De verrader begreep dat zijn plan was mislukt. Gehoorzaam liep hij in de door Michiel aangeduide richting. Korte tijd later kwamen ze meneer Postma tegen die, geschrokken van het schot, hun tegemoet was gegaan.

'Hij probeerde te ontsnappen,' legde Michiel uit.

Meneer Postma had een regenjas aan met wijde zakken. In de rechterzak hield zijn hand een pistool omklemd. Hij ging vlak naast Van Hierden lopen en duwde de loop van het pistool door de stof van zijn jas heen in de lendenen van de man.

'Ik schiet eerst en waarschuw dan,' zei hij.

Michiel liep aan de andere kant van zijn ex-oom. Geen van drieën sprak een woord. Tweemaal ontmoetten ze een bekende, die ze zo gewoon mogelijk groetten. Na een tijdje kwamen ze op de Stationsweg. Direct zagen ze dat er iets bijzonders was. De Stationsweg zag er anders uit dan anders. Wat was het?

'Munitiewagens,' fluisterde meneer Postma.

Onder de bomen, zo goed mogelijk gecamoufleerd, stonden, op een onderlinge afstand van zo'n meter of honderd, vijf munitiewagens. Ze waren aan alle kanten gesloten, maar het opschrift liet er geen twijfel over bestaan.

'Zijn ze gevaarlijk?' vroeg Michiel.

'Zeer gevaarlijk. Een brandende sigaret kan een ramp veroorzaken.'

Even later hoorde Michiel in de verte een zacht gebrom.

'Ik geloof dat we bezoek krijgen van Rinus de Raat,' zei hij.

Meneer Postma bleef staan.

'Je hebt gelijk. Een Spitfire. Dat is gevaarlijk.'

Michiel vond het een beetje overdreven. Hoe dikwijls had hij al een Engelse jager in actie gezien? Het geluid kwam snel naderbij. 'We moeten in dekking,' zei meneer Postma. En toen Michiel nauwelijks reageerde, vervolgde hij driftig: 'Snap je het dan niet? Als dat vliegtuig één kogel in zo'n munitieauto schiet, gaat het halve dorp de lucht in.'

Hij duwde Ben van Hierden in een eenmansgat.

'Hou je gedeisd,' bromde hij. 'Ik houd je onder schot.'

Zelf sprong hij in het volgende gat en Michiel kroop in het daaropvolgende.

Meneer Postma loerde over de rand van het gat naar Van Hierden. Even later daverde het vliegtuig over hun hoofden. Ze doken in elkaar, maar geen schot weerklonk. Het toestel verdween. Michiel wilde uit zijn eenmansgat klimmen, maar meneer Postma beduidde hem te blijven zitten.

‘Hij kan terugkomen,’ riep hij.

En inderdaad, de piloot moest iets verdachts hebben gezien. Hij draaide met een scherpe bocht over het dorp en kwam opnieuw aanvliegen in de lengterichting van de Stationsweg, lager dan eerst nu. Toen het angstige, aanzwellende geluid vlakbij was, doken Michiel en meneer Postma weer in elkaar. Maar Ben van Hierden greep zijn kans. Hij sprong uit het gat en vóórdat Michiel of meneer Postma het zagen, was hij al een meter of twintig zigzaggend over de weg gehold. Meneer Postma wilde schieten, maar angst om een munitiewagen te raken weerhield hem. Hij had het gerust kunnen doen. De Spitfire gaf een straal vuur en raakte één van de wagens. Een oorverdovend lawaai. De aarde leek open te scheuren. Michiel en meneer Postma lagen als egels op de bodem van hun eenmansgaten. Het is ongelooflijk hoe klein je je kunt maken als het nodig is. Twee wagens vlogen de lucht in, gelukkig de twee die het verst van Michiel en meneer Postma af waren. Grote gaten in de grond gaven de plaats aan waar ze hadden gestaan. Een boom lag half over de weg. Drie huizen waren veranderd in puinhopen. De ravage was vreselijk.

Toen het geluid van de ontploffingen was uitgestorven, kwamen Michiel en meneer Postma bleek omhoog uit hun schuilplaatsen. Ben van Hierden was weggevaagd van de aardbodem, zó grondig opgeruimd dat het moeilijk zou zijn nog iets van hem te vinden om te begraven. Van alle kanten kwamen de mensen aanlopen. Ze drongen de rokende puinhopen binnen om te kijken of er overlevenden waren. Michiel wilde zich bij hen voegen, maar meneer Postma zei: ‘We moeten maken dat we wegkomen. Er is hulp genoeg.’

‘Waarom? Van Hierden is toch dood?’

‘Om onze wapens. Als ze ons aanhouden en fouilleren zijn we er geweest.’

‘O ja.’

Ze gingen ieder huns weegs. Meneer Postma naar huis, Michiel naar het hol om Jack en Dirk het pistool terug te brengen en verslag te doen van wat er was gebeurd. Ondanks de schrik door de ontploffing voelde hij zich opgelucht. Ben van Hierden zou geen kwaad meer kunnen doen. Maar hij was wel moe. Moe van het gevaar en de spanning, van de angst en de verantwoordelijkheid. Wanneer, wanneer was die vreselijke oorlog nu eens voorbij?

16

Vijf vooruitgeschoven Engelse tanks trokken het dorp binnen. De familie Van Beusekom zat juist aan de lunch. Moeder zag de ongewone voertuigen het eerst. Minder log waren ze dan de Duitse tanks, beweeglijker, eleganter. Uit iedere koepel stak het bovenlichaam van een man met een lichtgekleurd jack aan en een baret vrolijk schuin op één oor. Ze sprong overeind en harder dan de kinderen ooit van haar hadden gehoord, gilde ze: 'De bevrijders!'

Uit alle huizen stroomden de mensen de straat op. Ze tooiden zich met oranje sjerpen en met rood-wit-blauwe vlaggen. Ze beklommen de tanks en omhelsden de soldaten. De schuilplaatsen gingen open en naar buiten kwamen de joden en de ontvluchte gevangenen en de verborgen gehouden piloten. Wie kon zingen zong, wie kon dansen danste, wie kon jubelen jubelde. Het bleek dat er in het hele dorp geen Duitser meer was te vinden. De kazerne was verlaten. De nacht tevoren was alles wat Duitser was weggetrokken over de IJssel.

De mannen van het ondergrondse verzet kwamen boven de grond. Ze droegen oranje banden om hun arm met de letters BS erop: Binnenlandse Strijdkrachten. Degenen die lang in het verzet hadden gezeten, die het gevaar jarenlang hadden geproefd, waren moe en bescheiden. Ze deden nu wat nodig was en daarmee uit. Degenen die zich pas de laatste weken bij de ondergrondse hadden aangesloten, toen de oorlog kennelijk op z'n eind liep, hadden een hoop praatjes en paradeerden zoveel mogelijk op straat. Ze vermaakten zich ermee iedereen op te halen die ervan werd verdacht met de Duitsers op goede voet te zijn geweest. Van de meisjes die zich met Duitse soldaten hadden ingelaten, werd het hoofd kaal geschoren. Mannen werden op het stuur van motorfietsen gezet en zo, met hun handen omhoog, door het dorp gereden en ten slotte gevangengezet in de school. Sommigen verdienden niet beter, sommigen hadden alleen uit angst vriendelijk gedaan tegen de bezetters, maar nooit iemand verraden. Ook Schafter werd een tocht op de motor niet bespaard. Het was een ernstige vergissing. In zijn huis bleken drie joden verborgen te zitten. Hij werd snel, met excuses, weer vrijgelaten. Michiel zocht hem thuis op om zijn verontschuldigingen aan te bieden.

'Jij dacht natuurlijk dat *ik* die zaak met het Koppelse Veer aan de moffen had verraden, hè?' zei Schafter. 'Tenslotte hadden wij dezelfde ochtend nog over dat veer gesproken.'

'Neem me niet kwalijk,' zei Michiel verlegen. 'U vroeg me van alles. En iedereen zei dat u het hield met de Duitsers en, en... daar leek het toch ook wel op.'

Schafter knikte. 'Ik had die mensen in huis, al vanaf 1942. Op een gegeven ogenblik merkte ik, dat de Duitsers me begonnen te verdenken. Uit veiligheidsoverwegingen ben ik me toen als een vriend van hen gaan voordoen. Ik heb hun kleine diensten bewezen, onbelangrijke diensten natuurlijk. Vanzelfsprekend heb ik nooit iemand verraden.'

'Hebt u ze het huis van Bertus Hardhorend gewezen?'

'Hè? Nee.'

'Jannechien heeft horen zeggen dat ze u, die dag dat haar man werd opgepakt, met de Duitsers heeft zien smoezen.'

'O, bedoel je dat. Omdat ze me kenden, vroegen ze me de weg. Dat wil zeggen, ze vroegen of ik wist waar het Driekusmanswegje was. Natuurlijk heb ik hun dat gewezen. Ze hadden het op de eerste de beste plattegrond kunnen vinden.'

'En hoe wist u in vredesnaam dat *ik* dat briefje bij u in de bus heb gegooid?' vroeg Michiel.

'M'n onderduikers. Voor geval van nood hadden we een kijkgaatje bij de voordeur gemaakt. M'n onderduikers hoorden het grind kraken en hebben gekeken wie er aankwam. Uit hun beschrijving op te maken moest jij het wel zijn. Ik begreep dat je me hevig wantrouwde vanwege dat Koppelse Veer.'

'Ik snap het,' zei Michiel. 'Het spijt me dat ik u ten onrechte heb verdacht. Maar u was ook wel erg nieuwsgierig.'

'Dat ligt in m'n aard,' grijnsde Schafter.

'Vond u het niet erg dat u werd opgepakt?'

'Och,' zei Schafter, 'ik was bang dat ik van de motorfiets zou vallen, dat is alles. Ik wist wel dat het verder goed zou aflopen. Weet je wie me heeft gehaald?'

'Jawel. Ik heb u voorbij zien komen. Het was Dries Grotendorst, hè?'

'Precies. Bij Grotendorst hebben ze een paar jaar lang een motorfiets verstopt gehad onder de hooiberg. Verder hebben ze een hoop geld verdiend aan de zwarte handel. Ze vroegen twaalf vooroorlogse, nieuwe lakens voor een pondje boter, heb ik horen zeggen.'

'Dat is anders niet veel voorgekomen in deze buurt,' meende Michiel.

'Nee, de boeren hier waren in het algemeen eerlijk en menselijk,' gaf Schafter toe. 'Maar de Grotendorsten niet. Dries is precies tweeëntwintig dagen bij de ondergrondse geweest. Zó kort dat hij niet eens wist dat ik er drie en een half jaar in heb gezeten. Nou ja... Hij kan aardig motorrijden.'

'En ik heb nog wel altijd vermoed, dat Dries een hele kei was in het verzet. Wat kun je je vergissen. Gelukkig is het allemaal voorbij,' zei Michiel.

'Zeg dat wel,' knikte Schafter. 'Maar toch... hoeveel mensen kunnen echt blij zijn? De onderduikers die bij mij in huis hebben gezeten, lopen voor het eerst sinds drie jaar weer vrij over straat. Zijn ze blij? Eensdeels wel, natuurlijk, maar anderzijds... Zij zijn de enigen van hun families die nog leven. Een droevig uitgangspunt om opnieuw te beginnen.'

Michiel dacht aan zijn vader.

'Jullie weten er ook van mee te praten,' zei Schafter.

'Ja, vooral voor moeder is het hard. Herinnert u zich de twee boerinnen die ik over het Koppelse Veer moest brengen? Dat waren een zekere meneer Kleerkoper en zijn zoon. Zij hebben de oorlog overleefd. Vanmorgen kwam er iemand uit Den Hulst langs met een berichtje. Maar ook zij...'

Hij maakte zijn zin niet af.

'Men schat dat er van de honderdvijfentwintigduizend Nederlandse joden honderdtienduizend zijn omgekomen,' zei Schafter.

'Vreselijk.'

Michiel ging naar huis. Ondanks de sombere woorden van Schafter, ondanks de droevige ogen van zijn moeder, groeide er toch een gevoel van blijdschap in hem. Het was dan toch maar voorbij. Hitler was verslagen. Er was een eind gekomen aan het schieten en moorden en martelen. Dirk was bij zijn ouders, veilig en wel. Jack was terug bij zijn squadron en schreef lange, verliefde brieven vol taalfouten aan Erica. Veerman Van Dijk was omgekomen in een concentratiekamp in Duitsland, maar Bertus Hardhorend was terug bij zijn Jannechien. De honger was voorbij. Je kon heerlijke dingen eten als corned beef, wat dat dan ook mocht wezen. De geallieerde soldaten baadden in weelde. Ze hadden gemakkelijke, sportieve uniformen aan, een verademing om naar te kijken na de gehate, stijve pakken van de Duitsers. Ze maakten grappen tegen de meisjes, ze smeten met sigaretten en blikken eten en ze reden met een noodgang in kleine open auto's, die ze jeeps noemden.

Het leven had weer kleur. Je hoorde van veel doden, maar je hoorde toch ook van mensen die de oorlog op wonderbaarlijke manier hadden overleefd. In de steden waren er van honger omgekomen, maar er waren er ook, die hun ongezonde dikte waren kwijtgeraakt of door het weinige eten genezen waren van een maagzweer of ingewandsziekte. Er verschenen weer kranten en je mocht ze lezen ook –

midden op straat als je wou. Heel wat anders dan de illegale blaadjes, waarvan het bezit levensgevaarlijk was geweest. En er waren feesten. De mensen konden er niet genoeg van krijgen te dansen en te zingen, te hossen en te schreeuwen. Ze moesten de schade van vijf jaar inhalen. Er was vreugde om de vrede, de vrede na een oorlog zoals nooit, nooit meer mocht terugkomen.

Het is enkele maanden later. Ook de oorlog met Japan is nu ten einde. Amerika heeft kans gezien twee vreselijke, allesverwoestende bommen te maken. Atoombommen. Men heeft het nodig geoordeeld ze op de Japanse steden Hiroshima en Nagasaki te gooien. De steden, met al hun mannen, vrouwen en kinderen, zijn weggevaagd en Japan heeft zich overgegeven. De gehavende wereld kan nu zijn wonden gaan likken.

Op een avond maken Michiel en Dirk een wandelingetje door het dorp. Het gaat langzaam. Dirks rechtervoet zit in het gips. In het ziekenhuis zijn z'n tenen opnieuw gebroken en rechtgezet, deze keer onder narcose. Als het resultaat goed is, zullen ze daarna de linker doen. Er is goede hoop dat hij over een jaar weer normaal zal kunnen lopen. Nu gaat het nog voetje voor voetje, met een stok.

In de verte zien ze Gert Verkoren aankomen, een sportieve vent van een jaar of vijfentwintig.

'Zie je Gert Verkoren daar?' vraagt Dirk.

'Jazeker. Wat is er met hem?'

'Hij was de derde man bij de overval op het distributiekantoor in Lagezande.'

'De man die jij niet hebt verraden?' vraagt Michiel eerbiedig.

Dirk knikt.

Intussen is Gert dichterbij gekomen.

'Dag Gert.'

'Ha, Dirk. Ha, Michiel.'

Hij blijft staan voor een praatje.

'Hoe gaat het met je voet, Dirk?'

'Best hoor. Volgend jaar doe ik weer mee aan de ronde van de Vlank.'

'Als ik er niet was geweest, liep je hem dit jaar,' zegt Gert, 'en je zou 'm nog winnen ook. Je weet niet hoe dankbaar ik je ben, Dirk.'

'Da's wel goed,' zegt Dirk. 'Ik heb pech gehad en jij geluk, dat is alles.'

Bescheiden als hij is verandert hij het onderwerp van gesprek. 'Zeg, Gert, wat heb je daar een mooie bloes aan.'

'Mooi hè? Heeft m'n meisje gemaakt van parachutezij. Ik heb een keer een dooie mof gevonden die in een Engelse parachute was gewikkeld. Aan die mof had ik geen behoefte, dat snap je, maar aan de parachute wel.'

Michiel spert zijn mond open, maar er komt geen geluid uit. Dirk legt een hand op zijn arm alsof hij wil zeggen: 'Laat mij het woord maar doen.'

Beheerst vraagt hij: 'Wanneer was dat?'

'Kort voor onze overval. Direct na de overval ben ik naar de Noordoostpolder gevlucht. Pas na de bevrijding ben ik in de Vlank teruggekomen. Toen lag die parachute nog keurig op me te wachten in de schuur, onder het kippenvoer.'

'Weet jij dat...,' begint Dirk, maar hij breekt zijn zin af.

'Weet ik wat?'

'Och, niks eigenlijk. Kom, we gaan weer 's verder. G'n-avond, Gert.'

'Moi.'

Als ze verder slenteren, zegt Dirk verontschuldigend tegen Michiel: 'Het heeft immers geen zin erover te praten.'

'Nee,' zegt Michiel, 'het heeft geen zin. Eén ding heeft maar zin.'

'Wat dan?'

'Nooit meer *in* een oorlog vechten, alleen nog *tegen* oorlog.'

'Zo is het,' zegt Dirk.

17

Vele jaren zijn intussen voorbijgegaan. Michiel is nu drieënveertig. Hij heeft de kranten goed gelezen en hij weet dat er sinds die avondwandeling met Dirk gevochten is in Indonesië, Joegoslavië, Hongarije, Noord-Ierland, China, Korea, Vietnam, Cambodja, Kongo, Algerije, Israël, Egypte, Syrië, Jordanië, Ecuador, Dominica, Cuba, Honduras, Mozambique, Biafra, Kashmir, Bengalen, en nog veel, veel landen meer.

Utrecht, januari 1972

De boeken van Jan Terlouw bij Lemniscaat

1971 Koning van Katoren
Gouden Griffel 1972
Eremedaille Padua 1973
Oostenrijkse Jeugdboekenprijs 1973
1972 Oorlogswinter
Gouden Griffel 1973
Honor List Hans Christian Andersen
Jury in Rio de Janeiro 1974
1973 Briefgeheim
1976 Oosterschelde windkracht 10
1977 Pjotr
1981 Oom Willibrord
1983 De Kloof
1986 Gevangenis met een open deur
1989 De Kunstrijder
Bekroond met de prijs van de Nederlandse Kinderjury 1990
1993 De uitdaging en andere verhalen
1998 Eigen rechter
Genomineerd door de Jonge Jury 2000
2007 Zoektocht in Katoren